Gótico imaginal

Ensayos sobre androginia y esoterismo en literatura

doxa / *estudios*

Gótico imaginal

Ensayos sobre androginia y esoterismo en literatura

JOSÉ RICARDO CHAVES

RIALTA EDICIONES
UNIVERSIDAD NACIONAL AUTÓNOMA DE MÉXICO

Primera edición: diciembre de 2018

Diseño de cubierta: Gerardo Islas

ISBN Rialta Ediciones: 978-607-97981-6-1
ISBN UNAM: 978-607-30-1266-9

Blvd. Hacienda La Gloria #1700, Hacienda La Gloria, 76177,
Santiago de Querétaro, México
www.rialta-ed.com

Instituto de Investigaciones Filológicas
Circuito Mario de la Cueva, s. n. Ciudad Universitaria,
delegación Coyoacán, 04510 México, CDMX
www.iifilologicas.unam.mx

Prólogo

Reúno en este libro diversos ensayos que, a lo largo de dos décadas, he publicado en diversas revistas mexicanas (más uno que permanecía inédito), los que, pese a sus diferencias temáticas, se pueden agrupar en tres núcleos básicos: androginia y algunas categorías asociadas, como hermafroditismo y homosexualidad; esoterismo, como un constructo intelectual para aludir a cierta forma de pensar, a un conjunto de tendencias de pensamiento diversas entre sí, provenientes de la Antigüedad y de la Edad Media, aunque con cierto aire de familia, de corte heterodoxo en relación con las visiones cristiana y racionalista, y que, a partir del Renacimiento, se vinculó en un discurso cada vez más unitario y alternativo en relación con esa ortodoxia cristiana que buscaba su eliminación; y por último, romanticismo y gótico, como ámbitos vinculados en que dicha presencia esotérica ha tenido un marcado campo de acción en la modernidad de los últimos dos siglos y medio. Así, androginia, esoterismo y romanticismo han marchado juntos en nuestra cultura occidental, a veces de manera muy estrecha, como en el siglo XIX.

Más allá de esta trilogía temática, es inútil querer establecer una unidad férrea en el conjunto de estos ensayos, pues sobre todo son testimonio de una amplia y variada trayectoria personal de lectura en los campos de la literatura, el esoterismo, la religión, el arte y la historia. Algunos de ellos mantienen vínculos con tópicos expuestos en *Andróginos. Eros y ocultismo en la literatura romántica*,[1] mientras que otros quedaron un poco olvidados en las revistas, por lo que decidí recuperarlos para nuevos lectores. Quizás así, en archipiélago, y no como islas, adquieran resonancias impensadas.

Además de la cultura europea, he incluido aquí ensayos relativos a las culturas de India y Japón, de las que, sin ser especialista, he sido un estudioso lector y viajero ocasional, desde mis años mozos, cuando algunas amistades supieron infundirme cariño y admiración por las religiones y filosofías asiáticas (en ese tiempo quizás de manera algo ingenua, pero después ya con herramientas analíticas más penetrantes).

En el caso de la literatura japonesa, tuve en mi camino la guía erudita y amistosa de la Dra. Hilda Chen Apuy, de la Universidad de Costa Rica, y de Átsuko Tanabe, en la Universidad Nacional Autónoma de México. De los varios autores japoneses por mí admirados, apenas he abordado aquí a dos de ellos, Yukio Mishima y Ueda Akinari. En mi viaje a Japón, hace pocos años, logré visitar la tumba de este último y rendirle mi tributo, y con él, a todos esos escritores nipones que, a lo largo de mi vida, han alimentado mi imaginación y mi sensibilidad. Algunas de estas peripecias viajeras las he plasmado en

[1] José Ricardo Chaves: *Andróginos. Eros y ocultismo en la literatura romántica*, UNAM, México, 2005.

mi libro *Peregrino a Oriente. Bitácora de viajes por Asia... y un poquito de París.*[2]

En cuanto al título de este libro, pongo de relieve lo gótico como categoría cultural moderna, es decir, que comienza a funcionar a fines del siglo XVIII, poco más o menos al mismo tiempo que el concepto de romántico, con el que, sin llegar a ser sinónimo, guarda ciertos nexos, por ejemplo, la importancia de lo sublime como categoría estética, retomada desde los ámbitos del neoplatonismo, tanto renacentista como antiguo; la atención a los aspectos «oscuros» de la personalidad humana (lo emocional, lo intuitivo, lo inconsciente); el énfasis en lo expresivo autoral más que en lo mimético naturalista, etc. Ambos, romántico y gótico, funcionan en oposición al paradigma neoclásico, vigente en el siglo XVIII. Justamente las dos categorías objetoras dan mucha importancia a la imaginación entre las facultades humanas (otro vínculo con el neoplatonismo), que se erige como un elemento mediador entre el intelecto y la sensación, y que posee su propia función cognoscitiva.

El problema es que la tradición racionalista ha tendido a homologar imaginación con fantasía, algo que los propios románticos rechazaron en su momento, pues mientras la primera tiene connotaciones ontológicas y cognitivas, la segunda es arbitraria y convencional. Esto permitió a los románticos separar el símbolo de la alegoría y defender al primero, que no se inventa sino que se descubre, y que funciona como puerta de entrada a dimensiones del ser que algunos hoy denominan «arquetípicas». Dado el predominio de la visión racionalista

2 José Ricardo Chaves: *Peregrino a Oriente. Bitácora de viajes por Asia... y un poquito de París*, Ediciones de Educación y Cultura, México, 2012.

en el mundo secular, hay un uso corriente y no premeditado del término imaginación, e incluso de la posterior expresión «imaginario», vigente sobre todo en el ámbito académico, que tiende a darle el sentido de algo irreal, fuera del ser y del existir. Por estas razones, he optado por adoptar el término «imaginal» –la otra palabra del título–, proveniente del campo de estudios del islamólogo Henry Corbin.

Con base en sus amplias investigaciones de las tradiciones islámicas, Corbin recupera para los estudios de mito y religión el concepto de *mundus imaginalis*, que se refiere a lo ubicado entre el mundo empírico y el del entendimiento abstracto:

> Entre los dos viene a situarse un mundo intermedio [...], el mundo de la imagen, *mundus imaginalis*: un mundo tan real ontológicamente como el mundo de los sentidos y el mundo del intelecto; un mundo que requiere una facultad de percepción que le sea propia, facultad que posee una función cognitiva, un valor noético, tan reales como las de la percepción sensible o la intuición intelectual.[3]

Esta facultad intermedia es justamente la imaginación, entendida a la manera neoplatónica y romántica (aunque en el caso de Corbin apele más bien a la tradición islámica), y que él denomina «imaginal» para esquivar el prejuicio racionalista y/o popular acumulado de ver lo imaginario como algo irreal o fantasioso. Y agrega:

[3] Henry Corbin: «*Mundus imaginalis*, lo imaginario y lo imaginal I y II», <https://www.webislam.com/articulos/18141mundus_imaginalis_lo_imaginario_y_lo_imaginal_i.html> [16/08/2017]

> Es la función cognitiva de la imaginación lo que permite fundamentar un conocimiento analógico riguroso, escapando al dilema del racionalismo habitual, que reduce la elección a los dos términos de un dualismo banal: o la «materia» o el «espíritu», dilema que la «socialización» de las conciencias acaba sustituyendo por este otro no menos fatal: o «historia» o «mito».[4]

Sin asumir como propias otras de las derivaciones de Corbin sobre el *mundus imaginalis* y lo imaginal, sí me parece pertinente para este libro adoptar, siquiera tentativamente, este último concepto y aplicarlo en mi estudio, para realzar la particularidad del término «imaginación» en mi trabajo –su componente cognitivo–, no meramente como algo ingenioso, arbitrario o decorativo.

En cuanto a los ensayos seleccionados, se publicaron en primeras versiones en diversas revistas y, para efectos de esta recopilación, algunos de ellos se han modificado levemente, ya sea para ampliar un poco cierto punto particular, o bien para evitar repeticiones. También se han traducido las citas del inglés y del francés, para facilitar a los lectores el acceso a dichas fuentes.

El primer ensayo es «De andróginos y ginandros», originalmente solicitado por la revista *Debate Feminista* para un número dedicado a la ambigüedad sexual. Dado que el interés de la solicitante había nacido por la lectura de mi libro *Andróginos. Eros y ocultismo en la literatura romántica*, y que este libro daba cuenta de las figuraciones andróginas literarias sobre todo en el siglo XIX, muchas de ellas deudoras del esoterismo,

4 Ídem.

se me ocurrió escribir un ensayo que revisara algunas de sus posteriores apariciones en el siglo XX, ya más secularizadas, sobre la base de autores como Virginia Woolf, Hermann Hesse, Michel Tournier o Jeffrey Eugenides, entre otros.

El segundo ensayo es el más antiguo del conjunto y está dedicado a la revisión de las memorias de Herculine Barbin, un hermafrodita del siglo XIX, quien, antes de suicidarse, escribió su biografía, que fue encontrada junto a su cadáver y conservada por los médicos de la época. Dicho texto fue recuperado y publicado por Michel Foucault en los años setenta y, hasta donde conozco, constituye el primer testimonio en la historia de un hermafrodita real, no literario ni filosófico. Ahí podemos escuchar por primera vez su voz directamente, ya no referida por otro, sea este poeta, filósofo, narrador o médico.

El tercer ensayo se titula «El esoterismo y su expresión romántica». Dada la falta de precisión del concepto «esoterismo» en los usos coloquiales e incluso académicos, pretendí darle al término una cierta densidad conceptual, de base histórico-empírica, con apoyo del modelo esoterológico propuesto por el estudioso francés Antoine Faivre, que ha sido el punto de partida para el desarrollo del campo de los «estudios de esoterismo occidental», o esoterología, en el ámbito académico en Europa y Estados Unidos, y en América Latina en la última década.[5] Se estudia además la relación entre esoterismo y romanticismo, histórica e ideológicamente, tomando en cuenta el trabajo seminal de otro notable esoterólogo, el holandés Wouter Hanegraaff.[6]

5 Cfr. Antoine Faivre: *Access to Western Esotericism*, State University of New York Press, 1994.

6 Cfr. Wouter J. Hanegraaff: «Romanticism and the Esoteric Connection», en Roelof van den Broek y W. J. Hanegraaff (eds.), *Gnosis and*

El cuarto ensayo, «Uqbar rosacruz: del personaje rosacruciano en la ficción romántica», es una aplicación particular de la relación esoterismo-romanticismo, en este caso para la génesis y desarrollo de personajes rosacruces, desde su aparición a principios del siglo XVII, su fortalecimiento en el contexto gótico-romántico y su sobrevivencia en el siglo XX, ya de manera más bien secularizada en autores como Yeats, Pessoa y Borges.

Los dos ensayos siguientes, «Incestuosa Madame Frankenstein» y «Vampirismo y sexualidad en el siglo XIX», abordan, de frente o de lado, a autores «clásicos» de la producción gótica, como Mary Shelley, a partir, no tanto de *Frankenstein*, como de una novela menos conocida, *Mathilda*, en la que el componente incestuoso desplaza la monstruosidad física;[7] así como a varios creadores de notables vampiros literarios, como Bram Stoker, en relación con sexualidades heterodoxas de la época.

El séptimo ensayo, «Gótico alemán: Ewers y las dualidades peligrosas», aborda la figura de un autor gótico-expresionista del siglo XX, Hanns Heinz Ewers, hoy poco recordado excepto en el ámbito francés, donde se mantuvo su memoria literaria en tiempos de oscuridad y rechazo, dada su participación tardía en el nazismo, que lo llevó de la gran fama de principios de siglo a la penumbra de posguerra. Esta situación está cambiando poco a poco, tanto en el ámbito inglés como en el hispánico, en los que ya comienzan a publicarse traducciones de sus libros más famosos, sobre todo la novela *La mandrágora* (1911).[8]

Hermeticism from Antiquity to Modern Times, State University of New York Press, 1998, pp. 237-268.

7 Cfr. Mary W. Shelley: *Mathilda*, Montesinos, Barcelona, 1997.

8 Cfr. Hanns Heinz Ewers: *La mandrágora*, Valdemar, Madrid, 1993.

Ewers tuvo también un papel destacado como guionista en el cine expresionista alemán, y su citada novela se llevó a dicho medio en varias ocasiones.

El octavo ensayo, «Vetala o los cuentos de un vampiro hindú», inédito hasta ahora, fue escrito para una mesa de homenaje al Dr. Juan Miguel de Mora, estudioso y traductor de literatura sánscrita. En este abordo un conjunto de cuentos de la tradición india, más conocidos en Occidente como *Cuentos del vampiro* (según el título de su traductor al francés, Louis Renou), pero que en realidad tienen como uno de sus personajes a un ente fantástico conocido como vetala, encargado de narrar diversas historias al otro personaje clave, Vikram.[9] Desde el siglo XIX dicha colección de relatos fue conocida en Europa, debido a la traducción parcial efectuada por el viajero, explorador, estudioso y traductor Richard F. Burton.

Los dos últimos ensayos se ocupan de autores del canon japonés. Por un lado, analizo la obra Ueda Akinari, activo sobre todo en la segunda mitad del siglo XVIII y reconocido en especial por una colección titulada *Cuentos de lluvia y de luna*, que puede ser leída desde Occidente, en un ejercicio de analogía cultural, como producción «gótica».[10] El otro autor estudiado es del siglo XX, Yukio Mishima, de quien se revisan algunos de sus vínculos con el esteticismo de finales del siglo XIX, reinterpretado en algunas de sus novelas para su particular abordaje de la homosexualidad en Japón, con una trayectoria sociohistórica muy distinta a la seguida en Occidente.

9 Cfr. Anónimo: *Cuentos del vampiro*, Paidós, México, 1999 [traducción de Louis Renou del sánscrito al francés, y de este al español por Alberto Luis Bixio].

10 Cfr. Akinari Ueda: *Cuentos de lluvia de primavera*, Satori, Gijón, 2013.

De andróginos y ginandros*

A Manuel Stephens, in memoriam

En el siglo XIX, pese a las dificultades victorianas, fue más fácil hablar de androginia, pues lo masculino y lo femenino, sus dos componentes, aunque conflictivos, eran claros y esenciales, por lo que bastaba con juntarlos para obtener un agregado o una fusión, como en alquímico operativo. El cambio de actitud a este respecto se operó con el psicoanálisis, que surgió a principios del siglo XX y cuya acta de nacimiento está constituida por *La interpretación de los sueños*, de Freud, justo en 1900, cuando se dio un giro copernicano de percepción psíquica y se descubrió, al tiempo que se teorizó (sobre la base de una intervención «terapéutica» en el dominio de lo inconsciente), que la biología no es destino en lo que a identidad sexual se refiere. Luego, ya bien entrado el nuevo siglo, vinieron los desarrollos feministas, los estudios de género, los estudios gay, que trabajan con nociones no esencialistas de la sexualidad.

Así, cuando lo sexual supone una perspectiva y ya no una esencia, ¿qué se va a juntar en la plenitud andrógina? Aquí

* Este texto fue publicado originalmente en *Debate Feminista*, año 24, vol. 47, abril, 2013.

el discurso sobre la androginia se vuelve sospechoso de convertirse en mito sexista disfrazado. La gran pregunta sobre la androginia es si se trata de la unión de los opuestos o de su superación, de ir más allá de ellos *subjetivamente*, de sus estructuras constrictoras, moviéndonos de uno a otro, entre ellos o fuera de ellos, dejando al cuerpo en la soledad de su biología. Pero esto supone una mística, un misterio (la raíz es la misma), diferente de la vida mundana y cotidiana en la que se mueven el psicoanálisis y otras ideologías seculares.

En la cultura moderna de los dos últimos siglos el andrógino ha estado siempre presente y, además, ha sido tratado en la literatura, sobre todo con el romanticismo, que vio en él un estado sublime de lo humano, ya fuera por el lado religioso, por ejemplo en cierto ocultismo, o por el lado profano y secular, cuando quiso ampliar las fronteras de la sexualidad yendo más allá de lo heterosexual. Los grandes referentes literarios del andrógino en la literatura del siglo XIX remiten a dos novelas francesas: *Séraphita* (1834), de Balzac, y *Mademoiselle de Maupin* (1835), de Gautier, que justamente representan esas dos posturas, la sublime y la secular respectivamente.[1]

Andróginas

En el caso de Balzac, se trata de un texto a contracorriente del Balzac realista más conocido, pues nos presenta, en un ambiente noruego de fiordo helado -algo raro en él, que trabajó casi siempre en escenarios franceses-, una historia con un personaje de doble sexo, Serafita/Serafitus, conformado

[1] Cfr. Honoré de Balzac: *Serafita*, Abraxas, Barcelona, 2002; y Théophile Gautier: *Mademoiselle de Maupin*, Random House, México, 2010.

ideológicamente según la mística de Swedenborg, y en el que sin embargo domina la faceta femenina, al grado de que termina dándole título al libro. En este sentido se trata de un «andrógino femenino», valga la contradicción, igual que lo será el del casi simultáneo texto de Gautier, que también plantea una historia de androginia pero en contexto mundano, no en un aislado y frío fiordo, sino en un jardín galante francés. Aquí una mujer antes de casarse decide conocer el mundo masculino desde dentro y, para ello, se disfraza de hombre. El cambio de apariencia le trae tanta fortuna amorosa que ambos miembros de una pareja heterosexual con la que se relaciona se enamoran de «él». Cómo se resuelve esta trama es lo que cuenta la novela extrañamente ignorada, a pesar de todo el auge feminista y de los estudios de género por recuperar viejos libros que resulten interesantes por su visión sexual o erótica, aun cuando las aventuras de la Maupin darían mucho material para disquisiciones interesantes de los lectores y estudiosos contemporáneos de hoy.

Estas dos novelas de mediados de los treinta del siglo XIX marcaron las trayectorias que seguiría el andrógino literario a lo largo del resto de ese siglo: una de tipo místico y sublimante que se remontaba a la tradición neoplatónica sobre la base de *El Simposio* de Platón, como la representada por la Serafita swedenborgiana de Balzac, y que le permitió manifestar su devoción por ese visionario sueco tan influyente por entonces; la otra, más secularizadora, más de ampliar fronteras sexuales en la sociedad, alimentó nuevos discursos al respecto más allá de los representados por las iglesias y los centros pedagógicos, al principio como sexologías marginales que fueron cobrando fuerza y que se consolidarían eventualmente con el psicoanálisis. Conocer otros países eróticos es lo que hace la joven travesti de Gautier (y con ella sus amantes), desde un lugar distinto, desde otro sexo, no sin consecuencias.

Ahora bien, cuando la mujer adquiere el traje del Otro, no puede dejar de vincularlo con los asuntos del poder. Basta con que use un bigote o ponga un habano en su boca para que lo asuma. La parte encarna al todo. En cambio, cuando el hombre se viste de mujer lo hace completamente; el todo encarna a la parte, baja de nivel genérico según la norma dominante, desciende al sótano de la Otra: escandaliza, causa risa, asusta, espanta. El fin de siglo XIX fue época de dandis y bohemios que, en términos de doctrinas estéticas, aparecían como decadentes y simbolistas, si eran europeos, o modernistas, si eran latinoamericanos. Por allí fluyó el imaginario andrógino, a veces leído desde una homosexualidad latente que recurrió al subterfugio de feminizar lo masculino para justificar su atracción por el mismo sexo. El resultado fue esa pléyade de jóvenes más feminoides que afeminados que recorre las páginas de la literatura de época, resultado de una efebización del andrógino. Claro, era un siglo que estaba consolidando una nueva categoría: el adolescente, que no es niño pero tampoco adulto, que en su estado transicional es tanto femenino como masculino, condición que con el tiempo se pierde.[2] A diferencia de los andróginos previos, los de Balzac y Gautier, que son más bien femeninos, los de la Belle Époque tenderán a ser, pese a su ambigüedad, más bien masculinos, desde el Dorian Gray de Wilde hasta el Demian de Hermann Hesse. A

[2] Cfr. John Neubauer: *The Fin-de-Siècle Culture of Adolescence*, Yale University Press, 1993.

veces este andrógino finisecular fue visto con una visión más irónica, como sucede en el caso del poeta y narrador mexicano Amado Nervo, quien en su novela corta *El donador de almas* (1899) abordó este asunto de un «hermafrodita intelectual», que es como llama a su personaje varón «invadido» por un alma femenina.[3]

Andrógino *versus* hermafrodita

Aquí valdría la pena traer a colación la diferencia entre andrógino y hermafrodita. Por su procedencia mítica y religiosa, el andrógino funciona como origen o como ideal, pero nunca está aquí y ahora, presente, nunca se encarna, se mantiene al nivel abstracto, es evanescente a la mirada. Si encarnara en un mundo relativo, tendría necesariamente que dividirse en sus dos sexos, hacer mitosis de género y mostrarse separado, y entonces ya no sería andrógino. En cambio, el hermafrodita sí tiene cuerpo; al tenerlo se torna monstruo y, por tanto, sujeto de vigilancia y restricción. Es el hermafrodita físico el que alimenta la imaginación erótica del dieciochesco Marqués de Sade y de algunos de los autores decadentes de fin de siglo XIX. Mientras el andrógino se vincula con lo místico, el hermafrodita es mundano y secular. Mientras uno sugiere, el otro muestra. Mientras uno atrae, el otro repele. En el entrecruzamiento de discursos sobre lo masculino y lo femenino, el andrógino se expresa en silencio, carece de palabra, al tiempo que el hermafrodita susurra o balbucea. El andrógino es el arquetipo. El hermafrodita es el accidente. El andrógino es del alma, el hermafrodita del

3 Cfr. Amado Nervo: *El castillo de lo inconsciente. Antología de literatura fantástica*, selección, estudio preliminar y notas de José Ricardo Chaves, Consejo Nacional para la Cultura y las Artes, México, 2000.

cuerpo. El andrógino es silencio y cicatriz. El hermafrodita es palabra y herida.

En su libro *El andrógino sexuado*, Estrella de Diego también contrasta al andrógino con el hermafrodita. Mientras que el hermafrodita es sexual, bisexual o plurisexual, el andrógino es asexual, sujeto al deseo imposible. El primero se sostiene sobre el poder y el placer, mientras que el segundo funciona sobre la falta y el deseo sin fin. A su juicio, ambos modelos reflejan los deseos masculinos, serían formas veladas de misoginia que estuvieron presentes en simbolistas, decadentes y surrealistas, pese a (o precisamente por) el endiosamiento hecho de la mujer en su poética. En esto se une Estrella en constelación crítica con aquellas feministas que desprecian el modelo andrógino (como Kristeva), aspecto al que luego retornaremos.[4]

En la trayectoria del andrógino en el siglo XIX, lo que al principio parece un declive de la forma mística a favor de la secular, como quiso pensar Mircea Eliade cuando habló de una degradación simbólica del mito en dicha centuria, lo que en verdad pasa es que ambas formas conviven: el andrógino místico continúa con su largo viaje desde la antigüedad, al tiempo que el hermafrodita secular se incorpora a la narrativa y comienza sus andanzas. El hermafrodita secular es representado tanto como personaje literario en novelas y cuentos de entonces, como en cuanto personaje histórico, como hermafrodita ciudadano que toma la palabra antes de suicidarse y deja, tras su cadáver, sus memorias escritas. Tal fue el caso de Herculine Barbin (1838-1868), primer hermafrodita en la historia que

4 Estrella de Diego: *El andrógino sexuado. Eternos ideales, nuevas estrategias de género*, Visor, Madrid 1992.

habló directamente y escribió su experiencia sexual, afectiva y erótica. El documento fue archivado por décadas, hasta que Michel Foucault lo rescató y lo publicó en 1978, poco más de cien años después.[5]

El lugar creciente del andrógino en el siglo XIX continuó en el siguiente, aunque con cambios notables hacia una mayor secularización y vinculación con otras áreas distintas de las tradicionales -literatura, artes plásticas, ocultismo- como la publicidad y la moda, sobre todo en su segunda mitad y antes del sida, que a principios de los ochenta hizo que se retornase a la vieja publicidad de sexos bien diferenciados.

Orlando y el andrógino esteta

Entre los textos de andróginos de la literatura inglesa del siglo XX está la notable novela *Orlando* (1928), de Virginia Woolf,[6] cuyo androginismo no es sólo suyo sino en buena medida compartido por otros miembros del grupo intelectual y artístico de Bloomsbury, al que ella se adscribe, y que se había alimentado de las teorías sexológicas de Havelock Ellis (quien había dicho que cada sexo es potencialmente hermafrodita) y del escritor Edward Carpenter, quien, vinculado con Walt Whitman, postuló la existencia de un «estado intermedio» entre los dos sexos en el que muchos humanos vivían.

Dichos recursos a un sexo intermedio, o a un tercer sexo, fueron los primeros intentos por dar una explicación plausible y moderna de las heterodoxias sexuales, como lo hiciera otro

[5] Cfr. Michel Foucault (prés.): *Herculine Barbin dite Alexina B.*, Gallimard, Paris, 1978.

[6] Cfr. Virginia Woolf: *Orlando*, Alianza, Madrid, 2014.

personaje relevante de la época, Sir Richard Francis Burton, viajero y traductor al inglés de *Las mil y una noches*. En el famoso epílogo a su traducción Burton postuló la teoría de la «zona sotádica», según la cual la homosexualidad podía ser más o menos común de acuerdo con las condiciones geográficas y culturales de los distintos territorios. Con ello llegó a esbozar un disparatado, aunque curioso, mapa de geografía erótica.

Virginia Woolf hizo de la androginia una teoría estética cuyo cultivo ofrece a los hombres y mujeres la oportunidad de escribir sin conciencia de su sexo, con lo que su creatividad se desinhibe de las restricciones usuales de género. Frente a la oposición masculino-femenino, el andrógino funcionaría como un tercer término que neutraliza. Se trata de romper el molde de género en que el sujeto fue construido.

Así, en 1928 Woolf publica su novela *Orlando* y, al año siguiente, su ensayo *Un cuarto propio* (basado en unas charlas previas), y en cuyo capítulo final muestra su opción por «la inteligencia andrógina», que «es resonante y porosa; que transmite sin dificultad la emoción; que es naturalmente creadora, indivisa e incandescente».[7] En esto sigue a Coleridge, de quien cita la frase «una gran inteligencia es andrógina». La cercanía de composición y publicación de estos textos de Woolf quizá sea señal de su vínculo ideológico, y la novela resulta la puesta en práctica de lo propuesto en teoría por el ensayo.

También Orlando, pese a su nombre, es un andrógino femenino, pues en él domina la voz de la mujer, pese a que nazca viril y haya gozado treinta años de hombría. El resto de su larga y fantástica vida de cuatro siglos lo pasa como mujer e,

[7] Virginia Woolf: *Un cuarto propio*, Colofón, México, 2015, p. 127.

incluso, llega a ser madre. Más feminidad no se puede pedir. Alguien que no recuerdo bien dijo que Orlando era más mujer que hombre porque la mujer se define por la ausencia de una posición estable. Orlando es mujer precisamente porque su sexo cambia. Sin embargo, observo que, en términos de estabilidad cronológica, tiene tres siglos y medio en estado femenino, frente a unas pocas décadas como hombre.

Andróginos germánicos

En el mundo germano el recurso al andrógino está enraizado en su gran tradición romántica, de la que, en pleno siglo XX, algunos escritores fueron sus tardíos y modificados representantes, pese a (o junto con) las vanguardias de la primera mitad del siglo. Los hay de distinto tipo. Está el caso del austriaco Gustav Meyrink (1868-1932), que desde sus intereses ocultistas incluyó al andrógino en su narrativa, como se aprecia en el inicio y en el final de su más célebre novela *El Golem*, con la cual quedaría vinculado con la literatura fantástica y su serie de grandes monstruos de la modernidad, como el vampiro, la momia y el autómata (ya sea metálico, protorrobótico, o bien de carne ensamblada, como el hombre artificial de *Frankenstein*). El andrógino de Meyrink se liga con el monstruo cabalístico y conserva todo su halo misterioso, al tiempo que se presenta releído desde el ocultismo finisecular, desde una escritura renovadora de influjo expresionista.[8]

Otro autor germano importante para el tópico andrógino es Hanns Heinz Ewers (1871-1943), también conocedor de doctrinas ocultistas pero al mismo tiempo muy mundano y

[8] Cfr. Gustav Meyrink: *El Golem*, Valdemar, Madrid, 2014.

muy involucrado con la discusión sexual antes del arribo del nazismo, al que paradójicamente terminaría adhiriéndose al final de su vida, sólo para ser censurado por el régimen. Todo esto le generó desprestigio y olvido en la apreciación posterior de los lectores. Ewers estuvo siempre muy interesado en los temas sexuales, con o sin ocultismo. En *La mandrágora*, en varias ocasiones, su fatal heroína pelirroja es descrita con tonos androginizantes, e incluso, cuando asiste a un baile de disfraces, lo hace disfrazada de Mademoiselle de Maupin, la heroína travesti de Gautier, es decir, viste de hombre, mientras su compañero lo hace de mujer.[9] Ewers, gran admirador –y traductor al alemán– de la literatura francesa, nos hace un guiño y unifica así a las andróginas literarias. Esto fue en 1911. Ewers concibe al andrógino como la condición estética por excelencia, igual que lo hizo Virginia Woolf; también en él se trata de una reconciliación creadora entre los extremos, una armonía de opuestos. Más adelante volveremos con mayor detalle a Ewers, pues a él dedico un ensayo completo en este libro.

Un tercer autor notable, quizá el más conocido, en cuya obra se recupera la figura andrógina, es Hermann Hesse (1877-1962), del que bien puede afirmarse que constituye un bastión romántico en pleno siglo XX. Hesse establece una continuidad temática, estética y vital con sus padres literarios de principios del XIX en una versión más pesimista, eso sí, más en consonancia con cierta melancolía de los nuevos tiempos que en él se torna rebeldía antiburguesa. De aquí su elaboración de la adolescencia como categoría clave para el autoconocimiento y la rebelión, lo que provocó su éxito posterior en ese tipo de

9 Cfr. Hanns Heinz Ewers: *La mandrágora*, Valdemar, Madrid, 2005.

público, lo que no excluye la apreciación adulta de sus narraciones, sobre todo sus últimas novelas, como *El lobo estepario* y *El juego de abalorios*. Su recuperación posterior por los *hippies* y el pensamiento contracultural de los sesenta y los setenta le dio un giro social que habría que revisar, pues los vínculos de Hesse son más fuertes hacia atrás, hacia la tradición romántica, más individualista, que hacia adelante, el *hippismo*, más colectivo.

Entre sus diversas novelas quizá sea en *Demian* donde queda más clara esta presencia andrógina en el universo hessiano (que se decanta por el adolescente como su portador temporal). La historia cuenta la vida de Emil Sinclair y su relación con Demian y su sibilina madre, así como con una figura femenina joven y simbólica, Beatrice, y con otra masculina, adulta, Pistorius, de filiación jungiana, casi el arquetipo del viejo sabio. Acordémonos de que Hesse se analizó con terapia de este género, con lo que su psicoanalista se transfiguró en dicho personaje.

En términos descriptivos, la mirada de Demian posee una «extraña eternidad zoológica», además de una «incalculable antigüedad». El narrador nos lo presenta con un aura ambigua: «Pero el verdadero Demian era así: pétreo y primordial, bello y frío, muerto y lleno de una vida inaudita. Y en torno de él, aquel vacío silencioso, aquel espacio etéreo y sideral, aquella muerte callada.»[10] Todo esto brinda al personaje un aire angelical y terrible. Sin darse cuenta, cuando Emil quiere pintar a Beatrice, termina pintando a Demian: «La contemplación de aquella pintura despertó en mí una impresión singular. Me parecía como un ícono o una máscara sagrada, a medias masculina, y femenina a medias, sin edad, tan voluntariosa como soñadora,

10 Hermann Hesse: *Demian*, Prisma, México, 1998, p. 65.

tan rígida como secretamente viva. Aquel rostro tenía algo que decirme, era algo mío, demanda algo de mí.»[11]

La estrategia de Hesse es la yuxtaposición de opuestos, la anulación de las partes por la totalidad, como corresponde al dios ensalzado en la novela, Abraxas, que se remonta a la antigüedad gnóstica:

> Delicia y espanto, hombre y mujer mezclados, lo más santo y lo más nefando confundidos, honda culpa palpitante bajo la más tierna inocencia; así era mi sueño de amor y así era Abraxas [...] Era ambas cosas, ambas y muchas más; era ángel y demonio, hombre y mujer en uno, hombre y animal, sumo bien y profundo mal. Lo deseaba y lo temía; pero estaba siempre presente, siempre por encima de mí.[12]

No es difícil encontrar en medio de tanta elocuencia deseos que a la distancia nos parecen claramente homosexuales, y que las circunstancias culturales e históricas no permitían reconocer claramente, por lo que había que darle un tratamiento evasivo, poético y culterano. Pero Hesse no es sólo homosexualidad sublimada, sino también contacto con la tradición arquetípica, con la vislumbre mitopoética del mundo, lo que lo hermana con viejos románticos como Novalis y Hölderlin. No hay que olvidar esto ni reducirlo a lectura de preparatorianos, pues quien pierde no es él como autor sino nosotros como lectores, que estaríamos dejando escapar, por puro prejuicio, a un escritor amplio y valioso.

11 Ibídem, p. 80.

12 Ibídem, p. 92.

Podría seguir hurgando en el ámbito germano en busca de androginias literarias, pero con los autores señalados creo que se logra el punto argumentativo. Dejaré de lado, quizás para otra ocasión, al Tadzio de *Muerte en Venecia*, de Thomas Mann, y sus veleidades andróginas, vinculadas en cierto nivel interpretativo con la homosexualidad socialmente reprimida del autor (aunque activa en lo oscurito, según se desprende de sus diarios).

Andróginos y gemelos

En el ámbito francés, ya en la segunda mitad del siglo XX, un autor que dedicó mucho espacio y reflexión al andrógino fue Michel Tournier (1924-2016), dentro de sus intereses más amplios sobre los aspectos mitológicos y las relaciones entre literatura e identidad. Desde su primera novela, *Viernes o los limbos del Pacífico* (1967), el halo andrógino está presente en su escritura. Esta obra, que reescribe un mito moderno, el de Robinson Crusoe, echa mano del bifronte sexual desde su inicio, desde antes del naufragio, cuando le son leídas al futuro náufrago las cartas del tarot:

> En la ciudad solar [...] los habitantes son revestidos de inocencia infantil, tras haber accedido a la sexualidad solar que, más incluso que la androgínica, es circular. Una serpiente que se muerde la cola es la figura de esta erótica cerrada sobre ella misma, sin pérdida ni error. Es el cenit de la perfección humana, infinitamente difícil de adquirir.[13]

[13] Michel Tournier: *Viernes o los limbos del Pacífico*, Monte Ávila, Caracas, 1971, p. 11.

Hacia el final de la novela, Robinson adquiere los poderes del andrógino que lo llevan a trascender la condición humana y a elegir la isla como casa, en vez de retornar a la civilización, como hiciera el personaje de Defoe.

La situación será distinta en su novela de 1975, *Los meteoros*, estructuralmente más compleja y ambiciosa que aquella, donde la androginia aparece al principio como dada por medio de la metáfora gemelar, los hermanos Jean y Paul; tesis que es destruida cuando uno de sus componentes decide romper con tan asfixiante unidad y se marcha, sólo para ser buscado después por el hermano abandonado en un Berlín dividido, como ellos, en dos ciudades, réplica urbana de la división humana.[14] Es interesante notar que esta novela se publica a mediados de los setenta, en una época de gran militancia homosexual, y esto se nota en los discursos de algunos de sus personajes. Así, la secularización sexual iniciada a fines del siglo anterior se encuentra ahora madura y activa, y Tournier, aunque atento a mitos y leyendas, no por esto abandona la actualidad sexual de su época. De hecho, en la novela la condición gemelar se da de distintas formas, no sólo entre los dos hermanos jóvenes, sino también en la del padre de ellos con su propio hermano (homosexual militante), e incluso entre los padres de los gemelos que parecen hermanos entre sí. Aquí la sexualidad gemelar, oval, no desemboca en la procreación, y precisamente por esto es «pura y estéril». Esto incluso nos remite al mito platónico en el que se postulan dos Venus, una superior y otra inferior, la Venus Urania que preside los amores homosexuales (que generan cultura y filosofía), y la Venus

[14] Cfr. Michel Tournier: *Los meteoros*, Alfaguara, Madrid, 1992.

terrestre, encargada apenas de la procreación de las especies, que no goza de tan alta estima.

Incluso en su novela de 1983, *Gilles et Jeanne*, Tournier retoma dos figuras antitéticas pero al mismo tiempo interrelacionadas: el famoso asesino Gilles de Rais y la «santa» guerrera Juana de Arco, donde está presente dicha estrategia androginizante por la que lo diferente se unifica en lo paradójico. Otra vez utiliza la reunión de los opuestos como estrategia narrativa.[15]

Memorias intersexuales

No quisiera acabar este rápido recorrido por los andróginos literarios del siglo XX (algo mencioné al principio de los del XIX, los de Balzac y Gautier, aunque rápidamente, pues a ellos y otros del mismo siglo dediqué todo un libro),[16] sin dejar de mencionar el caso de la novela *Middlesex* (2002), de Jeffrey Eugenides (1960), escritor estadounidense de padre griego y madre angloirlandesa.[17] Dicha novela, aunque *strictu sensu* ya es del siglo XXI, en buena medida es resultado de toda esa sexualidad posmoderna de después de la aparición del sida, en que incluso sujetos privilegiados hasta entonces en la reflexión crítica como la mujer o el homosexual (en su versión gay) quedan en cierta forma subsumidos en un espectro intersexual en que dualidades como hombre/mujer o heterosexual/homosexual tienden a ser cuestionadas desde nuevos ángulos teóricos, como la teoría *queer* y otras.

15 Michel Tournier: *Gilles y Juana*, Alfaguara, Madrid, 1992.

16 Cfr. José Ricardo Chaves: *Andróginos. Eros y ocultismo en la literatura romántica*, UNAM, México, 2005.

17 Cfr. Jeffrey Eugenides: *Middlesex*, Anagrama, Barcelona, 2006.

Si Tournier había escrito sus *Meteoros* en lo alto de la ola del reivindicacionismo gay de los setenta (y esto se nota en su prosa y en la perspectiva del narrador y sus personajes), Eugenides lo hace desde una postura intersexual que ya no admite ingenuas oposiciones que alguna vez fueron de avanzada, como homosexual/heterosexual. Se trata de una autobiografía que podría leerse también como *Bildungsroman* del artista masculino adolescente en la sociedad moderna, tema puesto en marcha originalmente por los románticos hace dos siglos y continuado después por Hesse, Musil, Joyce y Larbaud, entre muchos. Tenemos en el texto de Eugenides la autobiografía de Callie/Cal Stephanides, su transformación adolescente y su asimilación al género masculino tras haber sido educado como mujer.

Eugenides toma como texto de fondo las memorias del hermafrodita decimonónico Herculine Barbin, ya mencionado, y al que volveremos en el siguiente ensayo, y las usa como pre-texto para escribir la primera novela contemporánea con un hermafrodita biológico como protagonista y narrador, en términos realistas, y en la que se acepta la existencia de cuerpos más allá de la bipolaridad sexual sin caer en los prejuicios de anomalías y abyecciones, sino apostando más bien por la diversidad erótica. En su pubertad, el cuerpo de Cal no experimenta los cambios físicos esperados por su supuesta condición femenina, lo que lo lleva a una transformación radical de su identidad, todo esto acompañado, a nivel macrosocial, con el asunto de la inmigración griega a los Estados Unidos que Eugenides conoció tan bien por la situación familiar, y que, además, le permite recuperar los antiguos discursos griegos sobre la hermafrodisia en una suerte de gran novela que combina lo amplio con lo restringido, lo social con lo individual.

El andrógino surrealista

La permanencia del andrógino en el siglo XX se muestra no sólo en lo literario sino también en las artes plásticas, que pasó de las figuras ambiguas y desvanecidas de Gustave Moreau y Jean Delville (andróginos que, aunque pudieran ser perversos, dentro de un contexto simbolista y decadente, se concibieron desde patrones esteticistas que resaltaban lo bello y lo ideal a la manera platónica) hacia las enigmáticas propuestas surrealistas. Entre las vanguardias, fue el surrealismo, sobre todo sus pintoras, las que acogieron al andrógino por medio de figuras más que ambiguas, asexuadas, de género neutro, a las que si les atribuimos identidad sexual es por sus atributos de vestido. Aquí me remito al trabajo plástico de creadoras como Remedios Varo y Leonora Carrington.

Hay en el surrealismo, en Breton para empezar, un notorio interés por el ocultismo en sus diversas variantes, así como por la experiencia de lo sagrado, aunque por vías heterodoxas y más seculares. De hecho, el ocultismo como movimiento cultural en el siglo XIX fue, como vimos, ámbito privilegiado del discurso sobre la androginia como condición excelsa de lo humano, vinculado con los orígenes pero también con el futuro (asume así una función salvífica y de reintegración con el cosmos), y de ahí fluyó a los campos artísticos e intelectuales en tiempos románticos, simbolistas y vanguardistas. Hubo artistas plásticos que fueron también ocultistas notables, ya no meros *amateurs* o conocedores superficiales, como fue el caso del pintor inglés Austin Osman Spare (1886-1956). Dibujante privilegiado, en sus inicios fue visto como un nuevo Aubrey Beardsley, aunque más oscuro y macabro: la misma fineza pero el tono más sombrío e incómodo. Por entonces fue asociado al simbolismo y al *art nouveau*, pero su sentido visionario y afín al sueño y al mito –en esa línea de Blake que funde visión, sabiduría y exceso– lo unieron después al surrealismo, aunque claramente lo anteceda, pues este se desarrolla inicialmente en Londres en los años treinta y, para entonces, ya Spare tenía una obra propia notable.

Incluso en términos de técnica artística, por ejemplo para el caso de la «escritura automática», Spare la practicaba en Inglaterra junto con el «dibujo automático» antes que los surrealistas en Francia. Trataba así de liberar su creatividad e inspiración. Se seculariza la práctica: los primeros en usar escritura automática habían sido los espiritistas de la segunda mitad del siglo XIX y luego, con la teoría psicoanalítica, en vez de fantasmas de los muertos tenemos fantasmas del deseo, expresiones del inconsciente individual (en Freud) o colectivo (Jung), que es lo que se torna en letra por medio de la escritura automática, sin control de la instancia consciente: discurso de lo Otro en su plenitud. También hay diferencias entre Spare y el surrealismo: según el primero, el automatismo es útil para quien ya es artista, pues incrementa su visión y espontaneidad, mientras que para el surrealismo es útil para cualquiera, pues todos somos artistas. Para este movimiento de vanguardia el artista no es alguien separado de su especie sino una potencialidad abierta a todos: adiós al elitismo del poeta romántico.

El arte de Spare se manifiesta tanto en la plástica (pinturas y dibujos) como en la escritura. Hizo libros que combinaban textos e imágenes cuya función no se limitaba a decorar o ilustrar lo escrito, sino que comunicaban y asombraban al mismo nivel. Su vínculo con el ocultismo de la época, incluido Aleister Crowley, a quien trató pero de quien se separó en no muy buenos términos, lo llevó al tráfico con seres de otras dimensiones y a buscar la comunicación con el mundo inconsciente y subliminal. Buscó resurgencias atávicas, y trabajó con el supuesto de que la mente humana contiene recuerdos originados en antiguas especies de la escala evolutiva, por lo que nada animal nos es ajeno. Esto lo llevó a derivas chamánicas con monstruos e híbridos de lo humano y lo animal, de lo masculino y lo femenino, con ginandros que, lejos de agradar, como los andróginos simbolistas, perturban. Encierra al bello monstruo en un círculo de eternidad fantasmal, añade un espesor macabro al andrógino, le quita sus bellezas platónicas y lo vuelve mezclado, híbrido: lo torna hermafrodita.

Las entidades fantásticas de H. P. Lovecraft, que no viven en los espacios conocidos (o desconocidos) por todos, sino *entre* ellos, en los intersticios, recuerdan muchos de los entes dibujados por Spare. Todo esto lleva a una lógica de la promiscuidad y la hibridación, a veces como de alucinación exteriorizada en arte, verdadero *sabbat* de evocaciones e invocaciones de monstruos sabios y lujuriosos. Spare conoció bastante del psicoanálisis y se dice que regaló su libro emblemático, *The Book of Pleasure* (1913), al mismísimo Freud. También supo de Jung, con el cual se podrían entablar interesantes comparaciones en términos de toda esa mitología de un yo colectivo y plural, aunque por otra parte Spare también se burlaba de ellos al llamarlos «Fraud and Junk» (Fraude y Basura).

Androginia y feminismo

Un último punto que quiero mencionar antes de concluir este primer ensayo se refiere al lugar de la androginia en el pensamiento crítico feminista del siglo XX, el cual, *grosso modo*, puede dividirse en dos grandes bandos, cada uno auspiciado por alguno de los grandes nombres de teoría y análisis de la psique: Freud (y con él después Lacan) y Jung (aunque aquí no todos hablarían de psicoanálisis –cuyo fundamento es la teoría sexual– sino más bien de «psicología de las profundidades», con su recurso a los arquetipos).

Mencionamos antes algunos primeros desarrollos de teoría feminista del andrógino, para el caso de Virginia Woolf, con el sentido de una posibilidad de los artistas para salirse de su molde genérico y habitar un espacio mental y libidinal nuevo y creativo. Se acude aquí a un paradigma de armonía desde el conflicto que tiene como resultado el bienestar personal y social: al no estar atrapado en los roles sexuales, se es más adaptable y mejor ajustado en el desempeño colectivo. La androginia se vincula con una rebelión contra la burguesía y sus valores heterocráticos y supone un cuestionamiento de género. En la esfera de lo privado, para recuperar esa totalidad original se da la unión amorosa con el otro y, a nivel social, en la esfera de lo colectivo, se propugna una igualdad entre los sexos.

Un buen ejemplo de esta aceptación teórica de la androginia en la crítica feminista es el de Carolyn G. Heilbrun y su libro aparecido en los sesenta del siglo pasado, *Toward a Recognition of Androgyny* (1964), en el que aborda sobre todo a Virginia Woolf y el grupo de Bloomsbury, y donde la androginia sigue este patrón de equilibrio y superación de las dificultades planteadas por la diferencia sexual.[18] La época *hippie* ayudaba a este tipo de planteamientos a los que a veces echaba mano para

[18] Carolyn G. Heilbrun: *Toward a Recognition of Androgyny*, W. W. Northon & Company, New York, 1993.

sus disquisiciones de teorías arquetípicas como las de Jung o, desde el campo de la historia de las religiones, de Mircea Eliade. Fue también la época de recuperación editorial de Hesse. Por entonces la androginia se concibió como estado ideal de equilibrio inestable entre lo diferente.

En otras zonas del feminismo el andrógino fue visto más bien como un escape del cuerpo (como si se pudiera tal cosa). Se le achacaba que evitara puntos clave del debate feminista, que era un mito sexista disfrazado (aunque a mí me parezca más bien un mito asexual desnudo), y en el ámbito psicoanalítico, con Julia Kristeva a la cabeza, fue visto como narcisismo autodestructivo. En su libro *Historias de amor*, Kristeva niega el carácter bisexual del andrógino y lo ve más bien como unisexual: «en sí mismo es dos, onanista consciente, totalidad cerrada, tierra y cielo chocando el uno con el otro, fusión gozosa a dos dedos de la catástrofe».[19] Kristeva es acérrima enemiga del andrógino y en su encono confunde el mito y la terapia, pasa con una facilidad pasmosa de los seres esféricos de Platón a sus pacientes de diván, y lo que es una dimensión metafísica se transforma apenas en una «fantasía homosexual de androginia». Según ella en el estado andrógino no se produce una copresencia de los opuestos, sino que lo masculino absorbe a lo femenino, lo engulle: «Absorción de lo femenino en el hombre, ocultación de lo femenino en la mujer, la androginia le ajusta las cuentas a la femineidad: el andrógino es un falo disfrazado de mujer; ignorando la diferencia, es la mascarada más hipócrita de una liquidación de la femineidad.»[20] Para Kristeva

[19] Julia Kristeva: *Historias de amor*, Siglo XXI, México, 1987, p. 60.
[20] Ibídem, p. 61.

se trataría de una forma de colonización del otro que lleva al desprecio del sexo opuesto.

Heilbrun y Kristeva representan posturas opuestas sobre las posibilidades del andrógino en el debate teórico feminista. Son las dos partes de un ginandro crítico en eterno conflicto consigo mismo. Corresponden a dos momentos de recepción de la androginia como estrategia sexual: una, Heilbrun, los años sesenta y setenta del siglo pasado, cuando el feminismo abogaba por un ser andrógino que combinara en sí lo femenino y lo masculino y pusiera en jaque el orden burgués; la otra, Kristeva, los años ochenta y el nuevo fin de siglo, que buscó resaltar las diferencias entre los sexos y quemar cualquier puente que pudiera unir a las partes. De esta forma el andrógino *hippie* murió de sida a mediados de los ochenta para reencarnar luego como androide transgénero en tiempos posmodernos.

Herculine Barbin o los nombres de lo innombrable*

En el proceso de estudiar las figuraciones literarias del andrógino en el imaginario romántico encontré, en el margen de la literatura, las memorias de Herculine Barbin, trágica historia de un hermafrodita fisiológico de mediados del siglo XIX. Se trata de un texto singular, no sólo por la historia que cuenta, de carácter autobiográfico, sino también por su ubicación ambigua, movediza, entre la literatura y el documento médico y legal.[1] En realidad no fue escrito pensando en generar un producto literario donde lo estético estuviera en primer plano, sino en una situación extrema de supremo aislamiento y exilio, como preámbulo al suicidio. Si hay una vocación en las memorias de Herculine es ante todo moral, no artística, aunque esta dimensión no esté ausente del todo.

Herculine Barbin, Cesare Pavese y Uriel da Costa

La autora o el autor (pues el género de quien narra la autobiografía es fluctuante) escribe con la clara convicción de que, acabado

* Este texto fue publicado originalmente en *Revista Biblioteca de México*, n.° 44, marzo-abril, 1998.

1 Cfr. Michel Foucault (prés.): *Herculine Barbin dite Alexina B.*, Gallimard, Paris, 1978.

lo que haya de escribir, sea mucho o poco, bien o mal escrito, después de eso, hay que morir, se ha de pasar de la palabra al acto, cueste lo que cueste, con parecido coraje al del escritor italiano Cesare Pavese cuando apunta, poco antes de suicidarse: «Basta de palabras. Un gesto. No escribiré más.»[2] Así cierra su diario y también su vida. Pero a diferencia de Barbin, que –como veremos– no pasó de ser una buena institutriz de provincia sin mayor ambición que poder amar a una mujer y leer mucha historia antigua y moderna, Pavese sí fue un escritor «profesional», dedicado a la traducción, a escribir prosa y poesía y, por supuesto, a la militancia antifascista. El diario de Pavese es el de un escritor consciente de su oficio, mientras que las memorias de Herculine no son escritas por un narrador o narradora profesional, no buscan primeramente un efecto literario sino moral, dan testimonio de un sufrimiento por una falta de lugar en el orden del mundo, para encauzarlo, para encontrar algo de sentido entre tanta pena, entre tanta confusión.

Dentro de este campo de textos tan empapados de muerte, las memorias de Herculine están cerca, además del diario de Pavese, de las memorias del suicida Uriel da Costa, portugués del siglo XVII que primero renunció al cristianismo para abrazar el judaísmo, por lo que tuvo que emigrar de Portugal a Ámsterdam.[3] Luego, ya judío, atenta en dos ocasiones contra la opinión ortodoxa, por lo que es marginado dentro de su propia comunidad a tal grado que prácticamente se le orilla al suicidio. Antes, eso sí, el humillado Uriel redactó un breve

2 Cesare Pavese: *El oficio de vivir. El oficio de poeta*, Bruguera, Barcelona, 1981.

3 Cfr. Uriel da Costa: *Espejo de una vida humana (Exemplar Humanae Vitae)*, Hiperión, Madrid, 1985.

escrito autobiográfico, no de justificación de su muerte, sino más bien de intento de explicación de su vida. Aquí tampoco, como en el caso de Herculine, hay una intención literaria, ni siquiera existe la certeza de que lo escrito pueda llegar a ser leído por alguien después de la propia muerte: lo más probable es que, junto con el propio cuerpo, se destruya también el documento. Y sin embargo se escribe.

Esta ausencia de pretensión literaria, en los casos de Barbin y Da Costa, tiene que ver con el hecho de ser textos escritos, sí para otro, pero un otro que es o está en uno mismo, un yo desdoblado en otro-yo mismo, que en su expresión busca ante todo ser sincero y no anda tras lo hermoso. Anima a sus autores un sentimiento de exilio total, de estar fuera del orden de las cosas: en el caso de Herculine, el orden sexual, en el de Uriel da Costa, el orden ideológico y religioso. Tanto Uriel como Herculine deben cambiar sus nombres cuando se adopta un nuevo estado producto de metamorfosis: Uriel, el judío, dejará de ser Gabriel el cristiano (tan sólo cambiará de nombre de arcángel); Herculine, la mujer, pasará a ser Abel el hombre, Abel Barbin. Mas todo Abel tiene su Caín, y el suyo será su mujer suprimida, su insepulta Herculine.

De Foucault como profanador de cadáveres archivados

Las memorias de Herculine Barbin fueron rescatadas de los archivos franceses por Michel Foucault, quien las publicó a mediados de los años setenta del siglo pasado junto con los informes de dos médicos que la atendieron: uno mientras él-ella vivía, el que notificó el caso de hermafroditismo para efectos de cambio de sexo en lo civil; el otro, quien hizo la autopsia y los estudios pertinentes de tan exquisito cadáver, verdadero bocado, no de cardenal, sino de patólogo. Foucault, tan amigo de estudiar las formas del poder, la sexualidad y la represión, publicó las memorias del hermafrodita Barbin y las de otro raro célebre, el parricida Rivière, narraciones de hechos atroces y extraños guardadas en archivos médicos y legales. Quizás estas constituyen las únicas novelas posibles (vía la apropiación indirecta) para un escritor y un teórico como él, demasiado racionalista para lanzarse a los juegos de la imaginación literaria: confesiones verdaderas en sentido literal, nada de metáforas; narraciones desplazadas que encontraba en los archivos y que sacaba de la oscuridad, donde hasta entonces se empolvaban, para darles un nuevo sentido con sus comentarios e interpretaciones. En el caso de las memorias de Barbin, dicho material, junto con otro relativo a épocas antiguas, debía conformar un volumen sobre los hermafroditas de su *Historia de la sexualidad*.

Por primera vez se oye la voz del hermafrodita, no la palabra sobre él

El Dr. Goujon, el redactor del segundo informe anexado por Foucault, es consciente de lo valioso del material que tiene enfrente, un cuerpo hermafrodita «suicidado», sofocado por el humo de un calefactor de carbón y, al lado, sus memorias escritas:

> La observación que yo reporto es seguramente una de las más completas que la ciencia posee en este género, puesto que el individuo que es su objeto ha podido ser seguido por decirlo de algún modo desde su nacimiento hasta su muerte, y porque el examen de su cadáver así como la autopsia han podido ser

> hechos con todo el cuidado deseable. Esta observación es sobre todo completa por este hecho excepcional, que el sujeto de que trata ha tenido el cuidado de dejarnos largas memorias, por las que nos inicia en todos los detalles de su vida y en todas las impresiones que fueron sentidas por él en diferentes períodos de su desarrollo físico e intelectual. Estas memorias tienen tanto más valor puesto que emanan de un individuo dotado de una cierta instrucción (había obtenido un diploma de institutriz y había recibido el primer lugar en el concurso de la Escuela Normal para la obtención de este diploma), y porque hace esfuerzos para dar cuenta de las diferentes impresiones que experimenta.[4]

Conviene enterarse un poco del sonado caso de Herculine Barbin, mejor conocida como Alexina, la mujer que no era tal, que tras veinte años de vida femenina cambió de sexo jurídica y socialmente. Se trataba de un caso de hermafroditismo físico, esto es, coexistencia de órganos sexuales masculinos y femeninos. Al nacer Herculine en 1838, la familia la entendió como sujeto femenino, como niña, y como tal la crió. Su padre murió cuando estaba muy pequeña, la madre tuvo que trabajar y trasladarse a otro lugar, por lo que la niña fue internada en un colegio de monjas. Después, ya crecida, estudió en la Escuela Normal, donde obtuvo su diploma de maestra. Por unos meses dirigió un establecimiento educativo. Debió abandonar la dirección debido a su adopción de una identidad masculina a nivel civil. Tiempo atrás, aquejada la mujer por algunos dolores, fue llamado el médico, quien, asombrado, descubrió al examinar a la enferma su carácter hermafrodita. Este médico

4 Michel Foucault (prés.): *Herculine Barbin dite Alexina B.*, p. 142.

decidió no decir nada sobre el hallazgo para no perturbar más la situación. Después de todo, no se trataba de una muchacha cualquiera, sino de la directora de un plantel educativo.

El proceso de develación del misterio sexual de la joven no sucedió con rapidez. Fue más bien bajo la presión religiosa, impulsada por un confesor, cuando Herculine decidió iniciar un proceso para adquirir su estado masculino, que había sido decretado por la autoridad médica no sin titubeos. Si bien había hermafroditismo y toda una vida de hábitos femeninos, también era cierto que el predominio de rasgos corporales en la edad adulta era más bien masculino. Había que corregir los errores de interpretación a la hora del nacimiento. El cuerpo del recién nacido pudo confundirse, pero el del adulto no. Lo que en la infancia pudo ser ignorado, con la adolescencia comenzó a ser inquietante. La acentuación de los rasgos sexuales dio a la joven un aspecto más bien varonil. Leamos la descripción general del médico que dio a conocer su caso:

> Alexina, que tiene veintidós años, es morena, su altura es de 1 metro 59 centímetros. Los rasgos faciales nada tienen de muy precisos y permanecen indefinidos entre los de un hombre y los de una mujer. La voz habitualmente es la de una mujer, pero a veces en la conversación o cuando tose, se mezcla con sonidos graves y masculinos. Un ligero bigote cubre su labio superior; algunos pelos de barba se ven en sus mejillas, en especial en la izquierda. El pecho es el de un hombre; es plano y sin mamas. Las menstruaciones nunca aparecieron, con gran desesperación de su madre y de un médico al que ella había consultado, y que vio permanecer impotente toda su habilidad para hacer aparecer este flujo periódico. Los miembros superiores no tienen nada

de las formas redondeadas que caracterizan a las de las mujeres bien hechas, son más oscuros y levemente velludos. La pelvis, las caderas son las de un hombre.[5]

Diferencia y vida erótica de Herculine

En distintos momentos de sus memorias Herculine nos habla de la propia conciencia de su diferencia o al menos de extrañeza física con respecto a los demás. Por ejemplo, hacia el final del texto conservado dice: «Yo no ignoro que soy un sujeto de singular asombro para todos los que me rodean. Todos estos rostros jóvenes que respiran la alegría de su edad parecen leer sobre el mío alguna verdad cuyo secreto se les escapa.»[6] Poco después agrega: «¿Cómo definir esta extraña impresión que inspira mi presencia? No sabría hacerlo. Pero para mí es algo visible, indiscutible.»[7]

Su extraña apariencia no impide que se enamore y que sea correspondida por al menos uno de los cuatro amores mencionados en las memorias: Léa, a los doce años; Clotilde, a los dieciocho; luego vendrán Thécla y Sara, esta última su compañera amorosa durante varios años, el amor correspondido. Llama la atención que Herculine ame a las mujeres y que incluso las idealice en un verdadero culto a la *femme fragile*, pero no lo hace desde una perspectiva masculina (que no conoce, pues todo su mundo ha sido siempre entre mujeres, con mujeres, con una clara ausencia masculina). Herculine ama a las mujeres como mujer, y esto la horroriza dado su código moral

5 Ibídem, p. 138.
6 Ibídem, p. 118.
7 Ídem.

y religioso. Cuando a raíz del examen del médico se descubre el secreto de Herculine, su condición física de hermafrodita con predominio masculino, esto le sirve como argumento para entender por qué siempre se enamora de mujeres, en una suerte de autojustificación tranquilizadora. Desde luego que a Herculine la asustan el escándalo y todas las consecuencias del cambio de condición sexual y civil, de mujer a hombre, que las leyes divina y humana ordenan, pero hay también un cierto alivio porque encuentra un fundamento natural para su amor por las mujeres, del que hasta entonces carecía, importante dado su marco de referencias religiosas y morales. Como la naturaleza es hecha por Dios, todo lo que esté acorde con ella debe, por consecuencia, estar de acuerdo con él, piensa Herculine presa de su espejismo naturalista y religioso. Como la naturaleza está conformada por opuestos, pertenecer a uno de ellos está bien, pues se tiene un lugar, no sólo en la naturaleza sino sobre todo en la sociedad. La indefinición y la ambigüedad son características que inquietan a Herculine pues la privan de un lugar en el mundo.

Un lugar para Herculine

Si algo caracteriza las memorias leídas es su ambigüedad constante a nivel textual y canónico: ¿a qué género pertenecen?, ¿son literatura aunque no hayan sido escritas como tal, esto es, sin pretensión estética?, ¿son confesión, memoria, autobiografía? Ambiguas también a nivel sexual, las memorias resaltan la oscilación de género de quien escribe (se refiere a sí misma sobre todo en femenino, subraya con cursivas las marcas de género en verbos y adjetivos para acentuar la condición femenina del hablante que el idioma francés permite reconocer muy bien). Finalmente, se muestra la incertidumbre entre las pulsiones de vida y muerte que animan el escrito, entre ese impulso eufórico por escribir, contar una vida –la propia–, pretender hallarle un sentido, y el hecho de hacerlo como un preámbulo para morir, como una condición necesaria antes de abandonar este mundo que no tiene lugar para un ser como Herculine, ahora Abel.

Puede decirse que ante la imposibilidad de un lugar en el mundo, a Herculine/Abel no le queda otra salida que crearse uno propio, y esto sólo es posible en el orden de lo imaginario, de lo simbólico: imaginar, escribir, ingresar en el mundo de la letra, ¿de la literatura?, como requisito para darse muerte. Sus antecedentes favorecen tal salida: en varias ocasiones menciona su gusto por la lectura, por el conocimiento, por la historia antigua y moderna. Justamente, como ya pudo observarse, los relativamente altos grados de instrucción y sensibilidad son algunos de los puntos que el Dr. Goujon subraya del autor/autora de las memorias y que le dan un valor excepcional. Además de su estudio y gustos, Herculine ya tenía el hábito de escribir, pues nos habla del diario que lleva y de las cartas que envía a su amada Sara en las temporadas de separación.

La estrategia serafítica en la metamorfosis de Herculine a Abel

Es interesante observar la evolución del personaje/autor(a) y correlacionarlo con algunas características del texto. Hay que decir que las memorias originales eran más amplias que las hoy conocidas. El Dr. Tardieu, quien alguna vez tuvo el documento completo, publicó la parte que le pareció más importante. Hizo un recorte sobre todo hacia el final que, según él, «no era más que queja, recriminaciones e incoherencias».[8] Efectivamente, y sin que esto signifique un apoyo a la censura y selección del material, hay un cambio de tono en el texto hacia el final, que pasa de ser más narrativo, más lleno de acción, a ser más elegíaco, más expresivo y, por qué no, más quejoso. El personaje/autor(a) sufre un proceso parecido, pues en tanto es Herculine, aunque soñadora, hace cosas, estudia, trabaja, se enamora, se desplaza de un lugar a otro, y cuando es Abel, refuerza más bien una actitud contemplativa, como si se resignara a que ni como Herculine ni como Abel tuvo ni tendrá un puesto en el mundo social. Así como antes, en tanto Herculine, no se mezclaba con las otras muchachas cuando iban a la playa y jugueteaban en el mar, por pudor, por «miedo de herir sus miradas»,[9] por lo que simplemente las observaba a lo lejos; así también, como Abel, se contenta con mirar a los enamorados: «Sin mezclarme en ninguna intriga, sin ser actor en la comedia, asisto a menudo a extrañas escenas entre las parejas de enamorados. Como simple espectador, yo observo concienzudamente y acabo casi siempre por decirme que mi papel es el mejor.»[10]

En la decisión contemplativa de Abel hay más resignación forzosa que aceptación alegre de una posición que se considera ideal. Ante la imposibilidad de amar y ser amado sin secreto, de vivir y tener trabajo, Abel refuerza su sentimiento religioso como único sostén de su vida. Como no puede gozar del sexo sublima su situación en una pretendida asexualidad angelical

[8] Ibídem, p. 131.

[9] Ibídem, p. 48.

[10] Ibídem, p. 119.

más allá de esta realidad material y grosera, lo que, en honor del personaje de Balzac ya mencionado en el ensayo anterior, llamo su *serafitismo*. En tanto Herculine, nos había dicho que no tenía ninguna vocación monástica o cercana al celibato, que tenía una naturaleza fogosa, pasional, y lo demuestra efectivamente con sus varios amores, platónicos o carnales, en especial Sara. En tanto Abel, obligado a una castidad forzosa, pues la prostitución le resulta inaceptable, recurre entonces a la estratagema angelical, la de la asexualidad:

> Yo planeo por encima de todas vuestras miserias sin número, participando de la naturaleza de los ángeles; porque vosotros me lo dijisteis, mi lugar no está en vuestra pequeña esfera. Para vosotros la tierra; para mí el espacio sin límites. Encadenados aquí abajo por los mil lazos de vuestros sentidos groseros, materiales, vuestros espíritus no se sumergen en este océano límpido del infinito, donde abreva mi alma perdida un día en vuestras áridas playas.[11]

Balzac, Serafita y Herculine o cuando la naturaleza imita a la literatura

Párrafos como el anteriormente citado nos remiten inevitablemente a la ya mencionada novela de Balzac, publicada apenas unos años antes de la muerte de Herculine y de gran repercusión. *Séraphita* se plantea una historia de androginia con el trasfondo de las doctrinas místicas del sueco Emanuel Swedenborg.[12] Que Herculine la conociera es algo que se me

[11] Ibídem, p. 112.

[12] Cfr. Honoré de Balzac: *Serafita*, Abraxas, Barcelona, 2002.

antoja plausible, dado su gusto por la lectura, no sólo de historia sino también de literatura, como lo demuestran sus menciones a otros escritores como Paul Féval o Alexandre Dumas hijo, contra cuyas ideas misóginas difiere en la segunda parte de las memorias. Ese Balzac romántico y casi místico escribe en un momento de restauración de lo fantástico como no ocurría desde el Renacimiento. Después de todo, como afirma Leslie Fiedler en «*Freaks* e imaginación literaria»: «no fue sino hasta el siglo XIX que las anomalías humanas alcanzaron el centro de la ficción y del drama, cuando los escritores aprendieron a reintegrarles el aura mítica de la cual habían sido despojados por el advenimiento del cristianismo y el ascenso de la ciencia».[13]

Encontramos en esa novela de Balzac un triángulo conformado por un ser ambisexual, con nombre oscilante, como su sexo: ante su amante masculino, Wilfrido (el segundo miembro del triángulo), es Séraphita, adopta su faceta femenina; ante su amante mujer, Minna (el tercero), se llama Séraphitus, con su máscara masculina. Dependiendo del sexo de quien interpele, así será definido –por oposición– el sexo proteico del andrógino de Balzac. Pero a diferencia de Herculine/Abel, que renuncia al sexo ante la incapacidad de acceder a él tornándose angelical, Séraphita/Séraphitus no tiene que renunciar a la sexualidad porque no la conoce, pues está más allá de ella. No debe tornarse angélico, ya lo es, tan sólo se encuentra temporalmente uncido a la carnalidad. Representa no una lucha de opuestos, sino su conjunción en un nivel superior,

[13] Leslie Fiedler: «*Freaks* e imaginación literaria», *Revista Biblioteca de México*, n.º 28, julio-agosto, 1995, p. 25.

metafísico, ajeno a este mundo de pasiones encontradas. Aquí tenemos, en esta toma de posiciones con respecto a la sexualidad, diferencias importantes entre dos términos usados a menudo como sinónimos sin serlo del todo: androginia y hermafroditismo.

Andrógino no es lo mismo que hermafrodita (aunque se parezcan mucho)

La androginia siempre apunta a una condición espiritual, la imposible conjunción sexual que se da en un nivel considerado superior, no físico. Hay aquí un anhelo por llegar a una visión o a un estado místico. Para algunas culturas la androginia no es una situación deseable, pero tampoco causa horror, incluso algunas de sus divinidades gozan de tal estado. Vayamos ahora al otro término, hermafroditismo. Aquí se trata de una coexistencia física de atributos sexuales opuestos. Lejos de ser un ideal, es una realidad ominosa, y reviste a quien la padece de la condición de monstruo. De esto se deduce una actitud nada tolerante por parte del resto de la sociedad, por el contrario, se impone la marginación y la muerte. En su libro *Hermafrodita*, Marie Delcourt nos cuenta del destino de los hermafroditas en el mundo antiguo. Muchas veces se les asociaba con la mala suerte y, aunque no se les mataba directamente, se les dejaba morir. Se abandonaba al niño/niña descubierto en su ambivalencia fisiológica, ya fuera en el monte donde las fieras dieran cuenta de él/ella, ya en una embarcación frágil en una corriente de agua, donde seguramente moriría ahogado/a.[14]

[14] Cfr. Marie Delcourt: *Hermafrodita*, Seix Barral, Barcelona, 1969.

Si esto le ocurría al hermafrodita en la sociedad antigua y pagana, algo no muy diferente le ocurrió en la sociedad moderna y cristiana del siglo XIX, por lo menos si juzgamos por lo ocurrido a Herculine. Una vez que cambia de sexo, ya no es una mujer, pero tampoco llega a ser un hombre del todo. Es lo que dijimos, un monstruo, o en una clave menos dramática, un *freak*, que pareciera ser el destino en un mundo secularizado de los divinos monstruos de antaño, cargados de numen y misterio. A partir del siglo XIX el monstruo con resonancias míticas sólo es posible –socialmente hablando– en la literatura (no en balde fue el siglo de los grandes monstruos literarios que todavía nos conmueven, desde Frankenstein, la criatura, hasta Drácula). Cuando el monstruo pasa del mito a la realidad, es marginado y entregado a la ciencia para que lo analice en tanto «error de la naturaleza», cuando no al circo para ser exhibido en la feria. Entonces la exhibición pública del monstruo se torna un negocio, aunque ya a fines del siglo antepasado decae un poco sólo para ser retomada muy pronto por un nuevo medio: el cinematógrafo.

Otras diferencias conceptuales entre andrógino y hermafrodita han sido señaladas por Estrella de Diego en su ya mencionado libro *El andrógino sexuado*:

> El hermafrodita revela una mirada culturalmente masculina, una mirada explícita que deja muy poco a la ambigüedad. Por el contrario, la androginia desvela una mirada mucho menos obvia que podría corresponder a la femenina. El hermafrodita es presencia y el andrógino ausencia –características que definen lo masculino y lo femenino– y, tal vez, se puede asociar el hermafroditismo a la plurisexualidad y el andrógino a la asexualidad, al poder y a la

falta consciente/inconsciente de poder, o dicho de otro modo, el hermafrodita simboliza el placer y el andrógino el deseo.[15]

Si bien las anteriores oposiciones resultan útiles para ubicar las dimensiones diferentes que tienen el andrógino y el hermafrodita, tampoco hay que oponerlas tan tajantemente, pues lo que suele ocurrir es la alternancia o copresencia de ambas dimensiones: una sublime, la otra sensual. Es lo que Sergio González Rodríguez ha llamado «las promiscuidades movedizas, donde en un mismo instante y una misma persona conviven o se alternan lo hermafrodita y lo andrógino».[16] Separar demasiado entre andrógino y hermafrodita por un prurito conceptual podría llevarnos a establecer una falsa oposición. Ser diferentes no significa ser opuestos. Por otra parte, se trata de términos que no aparecen aislados sino dentro de una red nominal más amplia que, además de a ellos mismos, abarca otros elementos como travestismo, homosexualidad, bisexualidad y transexualidad, diferentes entre sí aunque con vasos comunicantes entre ellos, por lo que a menudo aparecen mezclados en distintas proporciones. Así, en vez de trabajar estos términos por oposiciones, conviene visualizarlos más bien reticularmente.

La acción fallida de Herculine por ser Abel o no es tan fácil imitar a Tiresias

Con Herculine se cumple de nuevo la antigua condena: no se la mata pero tampoco se le deja vivir, no se le dan las condiciones

15 Estrella de Diego: *El andrógino sexuado. Eternos ideales, nuevas estrategias de género*, Visor, Madrid, 1992, p. 41.

16 Sergio González Rodríguez: «La belleza monstruosa», *Revista Biblioteca de México*, n.º 28, julio-agosto, 1995, p. 199.

para ello. Todas las rutas la conducen al silencio. Enterada de que no es una mujer y de que todo indica que entonces es un hombre –dada la lógica binaria que rige la ideología sexual dominante–, uno de sus confesores le recomienda adoptar la vida monacal (entre varones, por supuesto), guardando su secreto para siempre bajo un hábito religioso. Ella se niega a tal camino. Demasiado la tentaba la carne con sus frescos racimos –para glosar a Darío–, mientras la tumba la aguardaba con sus fúnebres ramos, y apostó más bien a la acción jurídica para usar el «título» de hombre, que era lo que la autoridad médica había dictaminado y lo que otro de sus confesores aconsejado. Siguió el procedimiento social previsto en un caso excepcional como el suyo y al final obtuvo el cambio civil de sexo, pero el que le llamaran hombre en nada mejoró su vida. Al contrario, como Herculine tenía amor, trabajo, cariño de parientes y amigos, ahora, como Abel, se encontró más solo que nunca, sin Sara, sin su madre, literalmente comenzó a morir de hambre como hombre después de ser hembra, sumido en tremenda pobreza a pesar de sus esfuerzos por conseguir trabajo, algo que cuenta con detalle en sus memorias. El suicidio lo esperaba a la vuelta de la esquina. Iba a cumplir treinta años.

Herculine/Abel pretendió emular en el mundo histórico la hazaña de Tiresias en el mundo mítico. El famoso adivino griego un día vio dos serpientes copulando y le pegó a la hembra con su bastón. Entonces quedó convertido en mujer. Siguió su camino y con los años encontró a otras serpientes en condición semejante y golpeó otra vez, esta vez al macho. Entonces se convirtió en hombre. Por su parte, seguramente nuestro hermafrodita decimonono sólo encontró un par de serpientes y no pudo revertir el cambio –cosa que seguramente habría querido según se infiere de sus memorias–, con el agravante de que quedó no con los rasgos de un solo sexo, cualquiera que hubiera sido, sino con una mezcla de ambos, como el joven Hermafrodito en la metamorfosis contada por Ovidio. Así Herculine de inmediato entra a pertenecer a la fauna de lo turbio, lo mestizo y lo inquietante, es decir, lo monstruoso.

En una cosa sí se parece Herculine a Tiresias: su comprensión de lo femenino. Tiresias fue llamado por Zeus para dirimir una disputa que tenía con Hera relativa a quién gozaba más en el acto sexual, si el hombre o la mujer. Como Tiresias había experimentado ambos estados, podía decirlo. Respondió que las mujeres, lo que enojó a Hera, quien en castigo lo dejó ciego. Zeus, para compensarlo por haber dicho la incómoda verdad, le concedió el don de la profecía. Algo parecido ocurre con Herculine/Abel, quien se vanagloria de conocer el corazón femenino:

> Por una excepción de la que no me envanezco, me ha sido dado, con el título de hombre, el conocimiento íntimo, profundo, de todas las aptitudes, de todos los secretos del carácter de la mujer. Yo leo en este corazón a libro abierto. Podría contar todas las pulsiones. Tengo, en una palabra, el secreto de su fuerza y la medida de su debilidad; es por esto por lo que sería un marido detestable, así lo siento, todas mis alegrías serían envenenadas en el matrimonio, en el que yo abusaría cruelmente, quizá, de la inmensa ventaja que tendría, ventaja que se volvería contra mí.[17]

[17] Michel Foucault (prés.): *Herculine Barbin dite Alexina B.*, p. 120.

Tiresias, con su conocimiento andrógino de lo femenino, quedó ciego y visionario. Herculine/Abel, con el suyo, también alcanza la visión seráfica, sólo para sucumbir después.

De la confesión como género literario

Anteriormente dije que hacia el final las memorias se tornan más elegíacas y quejosas. Ya no se detallan acciones como al principio. Este aspecto quejumbroso afilia el texto de Herculine a la confesión, al menos si hilamos con la rueca de María Zambrano cuando, en su estudio sobre la confesión como género literario, remonta su origen en sentido estricto a San Agustín, pero en sentido amplio a Job, el quejoso del Antiguo Testamento. De esta forma se le daría un lugar tentativo al escrito de Herculine en la taxonomía literaria. Sobre el origen de la confesión escribe la poeta y filósofa española:

> La confesión surge de ciertas situaciones. Porque hay situaciones en que la vida ha llegado al extremo de confusión y de dispersión. Cosa que puede suceder por obra de circunstancias individuales, pero más todavía, históricas. Precisamente cuando el hombre ha sido demasiado humillado, cuando se ha cerrado en el rencor, cuando sólo tiene sobre sí «el peso de la existencia», necesita entonces que su propia vida se le revele. Y para lograrlo ejecuta el doble movimiento propio de la confesión: el de la huida de sí, y el de buscar algo que lo sostenga y aclare.[18]

18 María Zambrano: *La confesión: género literario*, Mondadori, Madrid, 1988, pp. 18-19.

Es la desesperación del humillado, del que quedó fuera del orden, la que dispara el dispositivo confesional. Se quiere expresar un dolor para alejarlo y para ser otra cosa, al mismo tiempo que se desea dejarlo ahí, objetivarlo, escribirlo. Sin embargo, la queja lleva implícita la esperanza, pues sin ella no se produciría, y adopta más bien el mutismo de la depresión. De nuevo con palabras de Zambrano, «hasta el simple ¡ay! cuenta con un interlocutor posible. El lenguaje, aun el más irracional, el llanto mismo, nace ante un posible oyente que lo recoja.»[19] Sólo con la expresión lingüística de su dolor el quejoso alcanza la integridad que le falta, su total figura; obtiene al menos una forma efímera antes de morir y disolverse. Como Job ante su aciaga vida, Herculine pregunta, interroga a la realidad y a su hacedor, les pide las razones de su falta de lugar. A diferencia del santón bíblico, no recibe respuestas, a no ser que la muerte sea una de ellas. Aquí conviene matizar sobre ese otro a quien Herculine escribe, ese otro que al mismo tiempo que es su propia alteridad interna, psicológica, fundamento de toda escritura, corresponde también al otro externo al que se quiere conmover y enseñar. No en balde en varias ocasiones interpela directamente a un posible lector, «la posteridad que me leerá», o pregunta cual Job a la Gran Alteridad, a Dios, por los misterios de su existencia inútil y aplastante para él/ella que la padece.

Nominalismo y esencialismo del sexo. El recurso a Ovidio

Aunque Herculine tiene una visión esencialista de los sexos en la que la fisiología es destino, no puede negarse que hay

[19] Ibídem, p. 20.

cierto atisbo nominalista cuando se refiere al sexo de cada quien como un papel, como una actuación que se representa en el teatro de la realidad, de forma similar a una comedia de travestimientos y metamorfosis, a la manera de Beaumarchais en *Le marriage de Figaro* (a quien menciona en el texto) o de Shakespeare en *As you like it.* Herculine habla en varias ocasiones del «titre d'homme» o del «titre de femme», como si fuera algo que se pudiera cambiar una vez formado dentro de una de esas dos categorías a la manera de un disfraz. Habla de esos títulos de hombre y de mujer como algo casi intercambiable o al menos como si se pudiera transmigrar de uno a otro opuesto, femenino o masculino. Cuando aún no cambiaba de sexo, cuenta Herculine cómo, en su relación con Sara, su amiga le otorgaba el rol masculino: «En nuestras deliciosas conversaciones, ella [Sara] gustaba de darme la calificación masculina que debía, más tarde, darme el estado civil. Mi *querido* Camille, ¡te amo tanto! ¿Por qué te conocí, si este amor debe constituir la infelicidad de toda mi vida?»[20]

Herculine/Abel vive la tensión de no pertenecer a un sexo, sino de estar entre los sexos, dividiéndolos al tiempo que unificándolos. Representa los límites de la sexualidad en tanto fisiología. Precisamente por esto es que Herculine se concibe a sí misma como «juguete de un sueño imposible».[21] Su objetivo al escribir es justamente traspasar los límites de lo real: «Tengo que hablar de cosas que, para muchos, no serán más que increíbles absurdos, porque sobrepasan, en efecto, los límites de

[20] Michel Foucault (prés.): *Herculine Barbin dite Alexina B.*, Gallimard, Paris, 1978, p. 68.

[21] Ibídem, p. 91.

lo posible.»[22] La separación entre lo verdadero y lo ideal no está siempre tan clara, por ejemplo, en la pregunta: «¿Lo verdadero no sobrepasa a veces todas las concepciones de lo ideal, por más exagerado que pueda ser?», y acota irónicamente: «¿Las metamorfosis de Ovidio han llegado más lejos?»[23] El carácter irónico de esta pregunta se manifiesta cuando nos acordamos de lo que había escrito al principio de su historia, al rememorar sus nostálgicas tardes de lectura cuando era adolescente:

> Así yo devoré una numerosa colección de obras antiguas y modernas, amontonada entre los rayos de una biblioteca contigua a mi habitación. [...] Confieso que yo fui especialmente conmovida por la lectura de las metamorfosis de Ovidio. Aquellos que las conozcan pueden hacerse una idea. Este hallazgo tenía una singularidad que el curso de mi historia probará claramente.[24]

Ovidio y sus *Metamorfosis* son la referencia clásica que aparece al principio y al final de las memorias, en lo que hoy llamaríamos un guiño intertextual. Es bajo la protección literaria y cultural de Ovidio que Herculine se pone a escribir. Hay una identificación entre su propia historia intersexual y la de los seres metamórficos del poeta latino. Esto es coherente con su idea de sobrepasar los límites de lo posible, al estar poseída por «el mal de lo desconocido», por el cual dice ser «devorada».[25] Las memorias, en la versión que conocemos, acaban con una

[22] Ibídem, p. 22.
[23] Ibídem, p. 25.
[24] Ibídem, p. 26.
[25] Ibídem, p. 43.

pregunta y una suposición sobre este tópico romántico que recorre todo el siglo XIX bajo distintos nombres: *spleen*, melancolía, *mal du siècle*, morbidez, neurosis... El final dice así: «¿Qué extraña ceguera me hizo sostener hasta el límite este papel absurdo? No sabría explicarme. Tal vez sea esta sed de lo desconocido, tan natural al hombre.»[26]

La melancolía es una de las características de Herculine, según su propio análisis, aunque a mí no me lo parezca tanto, en especial mientras era Herculine y no Abel. En la versión masculina sí se manifiesta con más fuerza dicha melancolía. En todo caso, una de las razones que llevan a los médicos a observar los órganos genitales del suicida a la hora de la autopsia fue saber si había una afección sifilítica, la que, a su juicio, lleva a los individuos que la padecen al suicidio, sobre todo cuando se trata de «ciertos sujetos ya naturalmente melancólicos».[27] Suponiendo un lugar común de la época (el vínculo entre la sífilis con la melancolía y el suicidio), los médicos encontraron algo excepcional que ya habrían querido ver muchos: un hermafrodita confeso, seco de voz pero no de letra.

Nombrar lo innombrable o cuando en el nombre va el destino

Un último punto que quiero mencionar de las memorias de Herculine Barbin se refiere a las denominaciones propias de quien se confiesa: su nombre civil es Herculine-Adélaïde Barbin, el familiar es Alexine, el masculino es Abel, el que usa en la narración es Camille. Son nombres cuya revisión arroja cierta luz

[26] Ibídem, p. 128.

[27] Ibídem, p. 141.

sobre el sujeto por ellos denominado. Sobre todo Herculine y Alexine, los dos de uso habitual, remiten inexorablemente a su origen masculino, Hércules y Alexis. Etimológicamente Herculina funciona por referencia a Hércules, como Alexina por referencia a Alexis. Son nombres dependientes de una parte masculina. Curiosamente, en el caso del mítico Hércules encontramos que dicho héroe, emblema de fuerza y virilidad, poseía al mismo tiempo una dimensión femenina que se aprecia en el episodio travestista con la reina Onfalia, con lo que ya en el origen masculino de Herculine encontramos reverberaciones ambisexuales. Por su parte, el masculino Alexis es el nombre de un personaje de la segunda égloga de Virgilio, del que se enamora el pastor Corydon, por lo que las connotaciones homosexuales son evidentes. De hecho, entre los primeros textos del siglo XX en abordar el asunto de la homosexualidad masculina están el diálogo *Corydon* de André Gide, y la novela *Alexis o el tratado del inútil combate* de Marguerite Yourcenar.

En cuanto a Camille (nombre puesto no se sabe si por la propia Herculine o por el Dr. Tardieu, quien fue el que guardó las memorias), en francés tiene un carácter neutro, aplicable tanto a hombres como a mujeres, por lo que resalta a todas luces lo acertado de su elección. Independientemente de que el nombre Camille haya sido puesto por Herculine o por Tardieu, lo cierto es que la primera vez que aparece en el texto viene pronunciado por la única figura masculina de cierta importancia en la historia, y que asume una posición paternal, Monsieur de Saint-M., anciano a quien ella lee y atiende como secretaria por un tiempo. Así, Camille es pronunciado simbólicamente, por primera vez, por una figura masculina y paterna que fijará una identidad por medio del nombre. Camille no necesita mutar como Herculine o como Alexine, en tanto nombre no necesita desmembrarse, desletrarse, para alcanzar su faceta masculina.

Finalmente, Abel (nombre tan corto como Alex, apócope del masculino de su nombre de confianza, Alexis), por una razón distinta del género sexual, remite a otra alteridad, la representada por Caín, la del mal, la del pecado, la del crimen. Se trata, pues, de una alteridad moral. ¿Habrá que concluir de la anterior divagación nominal que Herculine, el nombre femenino reprimido por Abel, se rebela como Caín y lleva a la muerte a quien lo negó? Podría ser.

Si pasamos del nombre al apellido, también pueden establecerse correspondencias interesantes. Asociando palabras, Barbin nos lleva a *barbe*, barba, y por derivación Barbin podría conducirnos a barbuda, y por ende, a Herculina Barbuda (como si se necesitara reforzar un nombre, si no masculino, sí subordinado a lo viril). Tenemos, pues, Herculina Barbuda, una mujer con rasgos de hombre, en especial su fuerza y su barba. Y ya que estamos asociando, no puedo dejar de pensar en las representaciones andróginas de ciertos dioses de la Antigüedad, como la chipriota Afrodita barbada, degradada en el mundo cristiano, antiteratológico y realista, al *freak*, a la mujer barbuda del circo, quien, sin embargo, suele conservar de Afrodita su carácter lujurioso. ¿No hay en esta triste metamorfosis de Afrodita barbada a mujer barbuda del circo algo de lo vivido por Herculine?

Todo lo anterior nos hace reflexionar sobre lo fatal de la vida de Herculine, quien ya en sus nombres ambiguos llevaba la marca de su destino. En esto también se parece al mítico

Hermafrodito, de quien según Ovidio «de él era una faz en la cual la madre [Afrodita] y el padre [Hermes] podían ser conocidos, también trajo de ellos el nombre».[28] Hermafrodito es justamente la unión de los dos nombres. Como en Herculine, no hay separación entre el nombre y la cosa. En ellos, como quisiera la magia, el nombre ya es la cosa, como en el lenguaje original, el de antes de la Caída, una lengua al tiempo que humana, divina. Quizá en dicho mundo primordial, sin opuestos, existiría ese lugar tan vanamente buscado por Herculine en la realidad doméstica, un mundo habitado por ángeles y serafines, más allá del bien y del mal, de lo femenino y de lo masculino, como de alguna manera lo sugiere su *serafitismo* final. Desgraciadamente, a Herculine le tocó aterrizar en un mundo sexual, dividido, caído –el de la Francia decimonónica–, y ante la imposibilidad de un sitio para ella en esta esfera sublunar, no le quedó más remedio que tomar por mano propia el camino de regreso, volver al cielo por asalto.

[28] Ovidio: *Metamorfosis*, Secretaría de Educación Pública, México, 1985, p. 179.

El esoterismo y su expresión romántica*

Empiezo por definir el ocultismo como la versión esotérica propia del siglo XIX, cuando socialmente ya había una clara separación entre ciencia y magia. No obstante, el ocultismo se opone a esta dicotomía y busca más bien una reconciliación –la unión de ciencia, filosofía y poesía, en palabras de Friedrich Schlegel–, siguiendo en esto el ejemplo de la filosofía romántica imperante, la de Fichte y Schelling, con su énfasis epistemológico en el sujeto a la hora de conformar el mundo, por oposición a las tradiciones empíricas, lo que incidió en la sobrevaloración del sujeto artístico, que adquirió así rasgos demiúrgicos. El ocultismo es esoterismo en tiempos de modernidad, ciencia y secularización, es magia posilustrada y, por tanto, aunque lo oculto y lo ilustrado sean enemigos ideológicos, se reconoce la necesidad de una argumentación racional incluso para defender lo irracional, que deberíamos llamar más bien «metarracional» o «pararracional». No se trata de desechar la razón sino apenas de delimitar su campo de aplicación y sus posibilidades cognitivas. El rescate de la imaginación como facultad humana suprema

* Este texto fue publicado orginalmente en *Acta Poética*, n.° 29-2, otoño, 2008.

(por encima de la razón) es algo que comparten ocultismo y romanticismo, y es uno de los rasgos que unen a ambos fenómenos, al grado que a veces se obscurece la frontera entre ellos.[1] Claro, imaginación en este contexto no es sinónimo de fantasía. La primera tiene un fundamento ontológico y epistemológico, corresponde a una facultad del ser humano total, es puerta al símbolo y al mundo de los arquetipos; la segunda es apenas juego arbitrario en un mundo secular.

Ocultismo y esoterismo no son sinónimos aunque las formas coloquiales los usen de esa manera. Esoterismo es la categoría más general para referirse a un conjunto de saberes basados en diversos textos de la religiosidad helenística -gnosticismo, hermetismo, neoplatonismo- de los primeros siglos antes y después de nuestra era, reunidos a inicios del Renacimiento en Italia y leídos como si fueran partes de un todo homogéneo (tras siglos de cohabitación con las tres religiones abrahámicas, de una de las cuales, la judía, recibirá el aporte cabalístico). Estos diferentes discursos fueron vistos como mutuamente complementarios. Se comenzó a hablar de *prisca theologia*, de *philosophia occulta*, de *philosophia perennis*, de una estructura básica compartida por esas diversas expresiones religiosas, arraigada en las características propias de lo sagrado y más allá de sus diferencias culturales. ¿Acaso no es la teosofía de Blavatsky la versión decimonónica de tal postulación perennialista? La diversidad histórica de las religiones no lograba ocultar la simetría de los arquetipos.

1 Cfr. Wouter J. Hanegraaff: «Romanticism and the Esoteric Connection», en R. van den Broek y W. J. Hanegraaff (eds.), *Gnosis and Hermeticism from Antiquity to Modern Times*, State University of New York Press, 1998, pp. 237-268.

Esos textos fueron reunidos en, por y desde Occidente, por lo que la categoría así surgida, *esoterismo*, tiene un uso cultural específico, no aplicable sin ajustes a otros contextos culturales, tales como el asiático o el prehispánico americano en que lo llamado esotérico no tiene un estatuto aparte como en Occidente. Como bien lo ha mostrado Antoine Faivre, figura fundamental en la conformación del campo académico denominado «estudios de esoterismo occidental» (que yo prefiero llamar *tout court* «esoterología»), a partir del siglo XVI se generó un proceso de autonomización de un cuerpo de conocimiento considerado esotérico (restringido, codificado), de perfil neopagano en relación con la religión oficial, exotérica (irrestricta, popular), de corte monoteísta. Fue un fenómeno vinculado con el humanismo renacentista, único capaz de dar cuenta, dada su erudición filológica y su apertura cultural, de la diversidad de lenguas y de referencias de los textos revisados. Este proceso se vio obstaculizado por la Reforma y la Contrarreforma, pero siguió vivo en parajes alquímicos y rosacruces. En tiempos de la Ilustración se tornó masónico y hermético, y a fines de la centuria y principios de la siguiente se volvió ocultista, al tiempo que encontraba un aliado ideológico en el movimiento romántico que por entonces se imponía en la literatura y las artes, mezclado con los ideales de la Revolución francesa.[2]

Tenemos así esoterismo como una nueva categoría cultural a partir del Renacimiento (aunque las acuñaciones filológicas sean posteriores; existió primero lo esotérico como adjetivo, y sólo después se volvió nombre), mientras que hay ocultismo

2 Cfr. Antoine Faivre: *Access to Western Esotericism*, State University of New York Press, 1994.

sólo a partir del siglo XIX, cuando el término es acuñado en francés por el mago Éliphas Lévi, con resonante acogida, y alude a una particular metamorfosis del esoterismo en la que el paradigma científico y moderno se imbrica en el discurso mágico en tanto procedimiento, con lo que, por ejemplo, se comienza a hablar más de «ciencias ocultas» que de «artes herméticas». En este sentido, esoterismo es el término general (el proceso), que se remonta a varios siglos atrás y que incluye distintas corrientes, y ocultismo es uno particular (su cristalización histórica en el siglo XIX).

Diversos autores como Robert Amadou, Pierre Riffard o Antoine Faivre[3] enuncian distintos rasgos para la caracterización del esoterismo, pero los tres básicos en que coinciden son los siguientes: el trasfondo de correspondencias y analogías; el concepto de naturaleza viviente, de cosmos orgánico y no de mecanismo universal, no al mundo como máquina; y el lugar central de la imaginación como facultad humana que permite el movimiento analógico, entre correspondencias, y establece una relación cognitiva y visionaria con el mundo, especialmente en su dimensión imaginaria, o mejor, imaginal, como propone Henry Corbin para evadir el significado prejuicioso de «irreal» o «utópico»: el mundo imaginal tendría su objetividad propia, más allá de los sentidos y más acá de la razón.[4]

3 Cfr. Amadou, Robert: *El ocultismo. Esquema de un mundo viviente*, Compañía General de Ediciones, México, 1954.; Pierre A. Riffard: *L'ésotérisme*, Éditions Robert Laffont, Paris, 1993; Antoine Faivre: ob. cit.

4 Henry Corbin: «*Mundus imaginalis*, lo imaginario y lo imaginal I y II», <https://www.webislam.com/articulos/18141mundus_imaginalis_lo_imaginario_y_lo_imaginal_i.html>, [16/08/2017].

El ocultismo, por su parte, sería la versión particular del esoterismo en el XIX, conformado sobre el esquema científico de prueba y error, tal como pasó con la naciente parapsicología o con el espiritismo de entonces. Opera mediante un proceder sincrético que ensambla discursos distintos en cultura y época mediante afinidades supuestas o más bien construidas. Además del rasgo cientificista y sincrético del ocultismo, habría que mencionar que con él se da una cierta democratización del *modus operandi* ocultista pues, si bien las cofradías continúan funcionando en los altos niveles, surge también la idea de grupos más amplios y abiertos que divulguen en mayor grado enseñanzas que hasta entonces eran propias sólo de iniciados, tales como la Sociedad Teosófica de Blavatsky, con mucho éxito por cierto. Se fundan periódicos y revistas ocultistas, se dan conferencias públicas, se editan libros que se venden bien. Es decir, se comienza a crear un mercado esotérico.

Esta democratización supone que la separación tradicional entre magia culta y magia popular hasta entonces dominante comienza a debilitarse. Así, el esoterismo se «vulgariza» en ocultismo. Un saber hasta entonces especializado se torna accesible a una mayoría democrática, aunque poco o nada preparada, al tiempo que se genera, sobre todo en el siguiente siglo, un mercado de servicios y mercancías: lectura de cartas, curaciones, invocación de muertos, talismanes, bolas de cristal, etc., ya sea de persona a persona o, en nuestro tiempo posmoderno, por televisión, cine e internet. En este nuevo giro el esoterismo se desoteriza progresivamente en tiempos modernos (sobre todo a partir de la segunda mitad del siglo XX con el llamado *New Age*) y se torna en lo que llamo *mesoterismo*, una zona intermedia entre lo esotérico y lo exotérico en la que la información circula más entre la gente, aunque no necesariamente se la comprende. En el fondo lo esotérico sigue tan lejano y oculto como siempre, reducido a unos cuantos gnósticos de corazón, aunque sus textos se publiquen y sus imágenes y emblemas se impriman masivamente. Se democratiza la circulación de sus materiales, pero la realización de sus procedimientos se mantiene restringida. Y es que en realidad el secreto esotérico es inmune a la democracia, es autosecreto y, sin un adecuado entrenamiento personal, al que pocos están dispuestos a someterse, su develación es tan sólo pantomima y abracadabra. Su «elitismo» no es producto de la voluntad conspirativa sino de la naturaleza del proceso aludido.

Al cientificismo y a la democratización del ocultismo habría que agregar su feminización en el sentido de una presencia destacada de las mujeres, muy acorde con los cambios en la relación entre géneros que estaban ocurriendo en el siglo XIX con un creciente movimiento feminista. Las corrientes principales del ocultismo decimonónico, como el espiritismo y la teosofía, dieron un amplio espacio de participación en sus filas a las mujeres, que aprovecharon la oportunidad, se involucraron en esos ámbitos y llegaron a ocupar un lugar que iguala o supera al de los hombres. El caso más notable es el de Helena Blavatsky, la primera mujer de renombre en la historia del esoterismo moderno. Y después de ella, en la línea teosófica, vendrían más: Annie Besant, Mabel Collins, Alice Bailey, entre otras. Desarrollar este asunto de la gran participación de las mujeres en las filas ocultistas, tan notorio e interesante de suyo, nos desviaría en lo inmediato de nuestros propósitos. El tema ha sido ampliamente estudiado para los contextos norteamericano e inglés, por ejemplo en los trabajos de Ann Braude y Joy Dixon.[5]

Ioan Couliano, el finado estudioso rumano, habla de una censura de lo imaginario en la cultura occidental a partir de la Reforma (que en su esquema incluye también a la Contrarreforma), como resultado de la lucha contra el neopaganismo renacentista. Cree que la civilización occidental moderna es el producto de la Reforma (en el sentido amplio por él planteado), lo que se manifiesta en tres niveles:

> En el plano teórico, la gran censura de lo imaginario desemboca en la aparición de la ciencia exacta y de la tecnología moderna. En el plano práctico, el resultado es la aparición de las instituciones modernas. En el plano psicosocial, es la aparición de todas nuestras neurosis crónicas, debidas a la orientación demasiado unilateral de la civilización reformada, a su rechazo por principio de lo *imaginario*.[6]

Esta represión de lo imaginario y fantasmático señalado por Couliano también es retomada por diversos autores con otras palabras y argumentos; por ejemplo, Gilbert Durand cuando vincula dicha represión de lo imaginal con una hipóstasis de la historia y una ideología objetivista que sustenta una ciencia positiva:

5 Cfr. Ann Braude: *Radical Spirits: Spiritualism and Women's Rights in Nineteenth-Century America*, Beacon Press, Boston, 1989; Joy Dixon: *Divine Feminine. Theosophy and Feminism in England*, Johns Hopkins University Press, Baltimore, 2001.

6 Ioan P. Couliano: *Éros et magie à la Renaissance. 1484*, Flammarion, Paris, 1984, p. 291.

> La «Reforma» de Occidente no ha traído [...] más que un agravamiento de la situación ideológica. A partir de ella no existirá más ese lugar de conservación de los símbolos y las exégesis que constituía el magisterio de la Iglesia, sino sólo el inmenso poder de la ideología de la objetividad profana y de la ideología de la explicación histórica.[7]

Autores «tradicionalistas» como Claude Mettra, René Guénon y Julius Evola piensan las transformaciones culturales renacentistas y posrenacentistas (esto es, modernas) como una suerte de caída en lo secular y lo profano, con un consecuente debilitamiento de lo imaginario, que estaría anclado en una supuesta tradición con mayúscula. Esto se puede leer como transposición al ámbito esotérico de una univocidad ideológica deudora del monoteísmo religioso que, en el plano político, se expresa como rechazo a la democracia y apoyo en la práctica a propuestas conservadoras y hasta fascistas, como en el caso de Julius Evola, y en la actualidad, incluso a formas del fundamentalismo islámico. Estos pensadores retoman la expresión hindú de *Kali Yuga*, que se refiere a un tiempo de oscuridad y decadencia, y la hacen coincidir con la modernidad, que asume a sus ojos un aspecto negativo. Sin embargo, las expresiones políticas de lo esotérico son muchas, no restringidas a estas versiones autoritarias «de derecha», sino que han alimentado también desarrollos democráticos, liberales, socialistas y demás, como se aprecia en la masonería y en la teosofía moderna,

7 Gilbert Durand: *Ciencia del hombre y tradición. El nuevo espíritu antropológico*, Paidós, Barcelona, 1999, p. 26.

afiliadas al paradigma ilustrado del progreso humano y cósmico.[8]

En el caso de Mettra, vincula esta caída en la modernidad y la historia con la renovación renacentista del tópico de la melancolía:

> Si la Melancolía obsesiona con tan insistente fidelidad a la imaginería del Renacimiento es porque ella es el rostro condenado de un horizonte que el hombre moderno ya no reconoce como suyo. Comienza entonces lo que podría llamarse la expulsión de Satanás, la negación de las tinieblas, la afirmación de ese imperio luminoso cuyo sol serían los poderes mal desbrozados de la Razón.[9]

Dicha represión de lo imaginario no significa su extinción sino su reubicación social. La imaginación, que el Renacimiento había puesto por encima de la razón por influjos neoplatónicos, es de nuevo destronada y sometida por el reformismo protestante, aunque retorne fortalecida con el romanticismo. La secularización creciente reduce el prestigio de la imaginación a campos como el arte y la literatura, la religión y el ocultismo, lejos del pensar racional y sus aplicaciones tecnológicas. Aquella ya no fue vía de conocimiento sino obstáculo a vencer; divertimento en el mejor de los casos.

No obstante la consolidación de esta perspectiva secular, laica e ilustrada, la modernidad también fue escenario del

[8] Cfr. Claude Mettra: «Los hijos de la noche», en René Alleau, Robert Amadou *et al.*, *Rumbos actuales del ocultismo*, Rodolfo Alonso, Buenos Aires, 1978, pp. 9-18.

[9] Claude Mettra: ob. cit., p. 11.

surgimiento de la perspectiva romántica (que incluyó al ocultismo), y es en la dialéctica entre Ilustración y romanticismo que la modernidad se desarrolló. A veces se tiende a privilegiar el ligamen entre modernidad e Ilustración y a olvidar, en cambio, el ingrediente romántico ahí también involucrado, cuando menos a lo largo de todo el siglo XIX y hasta la Primera Guerra Mundial. Podría pensarse, en este sentido, la polémica sobre el llamado posmodernismo a la luz del componente romántico reprimido en la cultura intelectual del siglo XX.

Las relaciones estrechas entre ocultismo y romanticismo llamaron la atención muy pronto de lectores y estudiosos, especialmente en los ámbitos francés y alemán, y el comparatismo encontró una rica veta de análisis, sobre todo a nivel de temas, de fuentes y de influencias (Auguste Viatte, Albert Béguin, Alain Mercier, etc.). El concepto mismo de romanticismo fue repensado desde su lugar estrecho de corriente literaria de tres o cuatro décadas a movimiento de ideas, sensibilidad y costumbres que se extendía a lo largo de todo el XIX, con énfasis variables a principios y finales de siglo.

En el siglo XX también se dio una discusión teórica sobre el romanticismo en un redivivo debate medieval entre nominalistas y realistas, reencarnados ahora en Arthur Lovejoy y su propuesta de romanticismos en plural, y Rene Wellek y su apuesta por una definición amplia de un romanticismo en singular. La conexión romántica con el esoterismo fue desarrollada en el ámbito inglés por Meyer Abrams, aunque algo tímidamente, queriendo separar neoplatonismo (corriente respetable para los cultos) de esoterismo (ámbito de mala reputación). Más recientemente, un momento de síntesis fue el trabajo de Wouter Hanegraaff, quien confrontó las principales teorías sobre el romanticismo -Lovejoy, Wellek, Abrams, Mor-se Peckham y Ernest Lee Tuveson–, e integró los puntos en común -organicidad, imaginación y evolución– con el modelo esoterológico de Faivre de seis rasgos, cuatro básicos y dos secundarios.[10]

En la larga relación entre esoterismo y literatura que uno podría hacer remontar hasta principios de nuestra era, con textos como *El asno de oro* de Apuleyo o la *Vida de Apolonio de Tiana*, de Filóstrato (una muestra es la *Antología literaria del ocultismo*, de Kanters y Amadou),[11] el vínculo particular ocultismo-romanticismo sería apenas una de sus etapas. Una etapa, eso sí, muy importante, pues se estableció una comunicación sistemática de doble vía entre ambos términos en tiempos modernos. Así se han estudiado escritores del siglo XIX que recurrieron al ocultismo en tiempos de secularización con diversos grados de compromiso, desde unos donde predomina la actitud más superficial que utiliza temáticamente aspectos ocultistas sin compromiso personal al respecto, hasta otros cuyo involucramiento esotérico fue determinante en su carrera literaria y en su propia vida. Entre estos últimos tenemos en Francia a autores como Balzac, Gautier, Nerval, Huysmans, para citar cuatro famosos, o en inglés, a Blackwood, Machen, Conan Doyle o Yeats. Balzac y Gautier estuvieron vinculados con el swedenborguismo, Nerval con la alquimia y el hermetismo, Huysmans con el satanismo y el neo-ocultismo de fin de siglo, Blackwood y

10 Cfr. Wouter J. Hanegraaff: ob. cit.

11 Robert Kanters y Robert Amadou (eds.): *Antología del ocultismo*, EDAF, Madrid, 1976.

Yeats con la teosofía y la magia ceremonial, Machen con el celtismo, y Conan Doyle con el espiritismo.

En algunos escritores la pasión ocultista iguala a la literaria. Entre estos está Edward Bulwer Lytton (tan poco recordado hoy y tan famoso en su momento), autor de *Zanoni* y *A Strange Story*, novelas influyentes en el medio ocultista del XIX y a su vez influidas por él, sobre todo el caso de *Zanoni*, que fue elogiada por Blavatsky.[12] Curiosamente, Bulwer Lytton fue un autor famoso en vida por sus novelas históricas y de costumbres, pero ha sido su veta fantástica la que lo ha mantenido vivo, ya sea en forma abierta, como en los títulos mencionados, ya en forma híbrida, como en su novela *Los últimos días de Pompeya*, que presenta una trama de magia y erotismo en un ambiente histórico de cataclismo.[13] Triunfaba en el XIX literario el tópico de la ciudad sublime desaparecida catastróficamente, ya fueran urbes históricas como Pompeya, o míticas como la Atlántida.

Además de Bulwer Lytton, habría que mencionar a aquellos escritores que fueron tanto magos como poetas, tales como Yeats y su colega Aleister Crowley, hoy tomado en cuenta sobre todo como mago, no tanto como autor, aunque él se consideraba a sí mismo como mago-poeta. Yeats y Crowley representan la transición del siglo XIX al XX. Pocas veces la práctica ocultista y la poética alcanzan tanta calidad en su unión como en Yeats, cuyo alto nivel literario apenas es comparable al de otros dos excelsos poetas que en el nuevo siglo seguirán también tales arcanos: el lituano Oscar Milosz y el portugués Fernando Pessoa.

[12] Cfr. Edward Bulwer-Lytton: *Zanoni*, EISA, México, 1980.

[13] Cfr. Edward Bulwer-Lytton: *Los últimos días de Pompeya*, Biblioteca Luna, Madrid, 2018.

Con todo y sus limitaciones, mal que bien se ha estudiado a estos escritores devenidos ocultistas. A lo que no se ha puesto suficiente atención (aspecto que este trabajo pretende tan sólo señalar) es a los ocultistas del XIX devenidos escritores; se trata de autores importantes en la historia del esoterismo con obra doctrinal al respecto y que en algún punto de su carrera ocultista recurrieron a la escritura literaria para ampliar su público, acaso bajo el supuesto de que esta posee recursos de persuasión más amplios que los del texto doctrinal. Tres figuras descollantes del ocultismo siguen tal camino: el francés Éliphas Lévi, la rusa Helena Blavatsky y el norteamericano Pascal Beverly Randolph. El primero posee diversos títulos en poesía y una novela, *Le sorcier de Meudon*;[14] Blavatsky tiene un libro de narraciones fantásticas deudoras de Hoffmann y Poe, *Nightmare Tales*, así como crónicas de viaje con alta dosis de ficción, a punto de novela, como pasa en *From the Caves and Jungles of Hindostan*;[15] y en el caso de Randolph, escribió *Ravalette*, su novela rosacruz.[16] En el fin de siglo francés también podemos mencionar al novelista y mago Joséphin Péladan (verdadero Balzac del ocultismo decadente) y el poeta Stanislas de Guaita, entre otros.

En todos ellos el recurso a la literatura en su vida ocultista se dio como una forma de difusión de ideas, sí, pero también porque desconfiaban de la separación entre poesía y magia, y porque encontraron en la práctica literaria unas posibilidades

[14] Cfr. Éliphas Lévi: *Le sorcier de Meudon*, Tradition Classics, Hambourg, 2012.

[15] Cfr. H. P. Blavatsky: *Narraciones ocultistas y cuentos macabros*, LD Books, México, 2006; *Por las rutas y selvas del Indostán*, Librería Argentina, Madrid, 2012.

[16] Cfr. Paschal Beverly Randolph: *Ravalette. The Rosicrucian's Story*, Philosophical Publishing Company, Pennsylvania, 1939.

distintas, más libres, que las del ensayo doctrinario. Lévi, Blavatsky, Péladan, de Guaita, Crowley provenían de medios educados, sensibles y, aunque su preocupación vital se dirimió por el ocultismo, conocieron y usaron la literatura para sus propios fines.

En la primera mitad del siglo XX muchos ocultistas siguieron con la escritura literaria como una de sus actividades, como lo demuestran en el ámbito teosófico, en inglés, las narraciones de Charles Webster Leadbeater y de Mabel Collins; en francés, Édouard Schuré; en alemán, Franz Hartmann; en español, Mario Roso de Luna. En inglés están Violet Firth, alias Dion Fortune, con novelas y cuentos, y, claro, Crowley, con novelas y algunos cuentos. En el ámbito alemán, aparte de Hartmann, aparecen Gustav Meyrink, sobre todo con sus novelas, no tanto con sus cuentos, y Arnold Krumm-Heller, quien fue un puente ocultista muy importante entre Europa y América Latina, y quien publicó su novela *Rosa-Cruz. Novela de ocultismo iniciático*.[17]

Obsérvese que buena parte de la conexión literaria entre ocultismo y romanticismo se da en el ámbito de lo fantástico, un género muy propicio para tratar los asuntos misteriosos e inciertos, pues permite desdoblamientos, proyecciones, espejeos, monstruosidades, es decir, una exploración imaginaria de la otredad. Así, lo fantástico ocultista puede adoptar formas góticas más convencionales, como en los cuentos de Blavatsky o en la novela *Ravalette* de Randolph, pero también, ya en el siglo XX, acercarse a la vanguardia modernista, más irónica, como en los cuentos de Meyrink o en la novela *Moonchild*

[17] Cfr. Arnold Krumm-Heller: *Rosa-Cruz. Novela de ocultismo iniciático*, Kier, Buenos Aires, 1991.

de Crowley.[18] Por último, entre las figuras románticas más destacadas que el folclor y el ocultismo alimentaron, pocas tan poderosas como el vampiro. En el caso de Bram Stoker, creador de la versión ahora «clásica» del vampiro, Drácula, son muy interesantes sus conexiones ocultistas.

De esta manera, he pretendido mostrar algunos de los lazos entre esoterismo y literatura, sobre todo en el siglo XIX romántico, un campo que si bien ya ha sido transitado, todavía tiene mucho que dar, en especial en ciertas zonas de la literatura mundial donde tales enfoques apenas empiezan a calar dada la fuerza todavía vigente de prejuicios y tradiciones críticas hostiles. En lengua española, donde desde el modernismo de fines del XIX es posible encontrar patrones de conducta afines a los de otras lenguas, como la francesa, la inglesa o la alemana, este territorio se encuentra bastante inexplorado.

[18] Cfr. Aleister Crowley: *La hija de la luna. Intrigas mágicas del bien y del mal*, Humanitas, Barcelona, 2012.

Uqbar rosacruz. Del personaje rosacruciano en la ficción romántica*

En la historia de las ideas el concepto de «rosacruz» aparece vinculado con el arquetipo del mago renacentista, del que es hermano y heredero. Ambos comparten una visión del universo alimentada filosóficamente por el neoplatonismo, el hermetismo y la cábala, todo esto sobre una base cristiana. Desde fines de la Edad Media la cábala había salido de su ámbito estrictamente judío y había comenzado a fecundar el medio europeo para conformar lo que eventualmente se ha denominado «cábala cristiana», por autores como Frances Yates y François Secret, lo que alude a un tipo de cábala más heterodoxa, más desjudaizada en interpretación, aunque no en estructura.[1]

Errancia y cosmopolitismo del rosacruz

La aparición pública de los rosacruces como organización secreta se dio a inicios del siglo XVIII bajo la forma de dos

* Este texto fue publicado originalmente en *Acta Poética*, n.° 38-1, enero-junio, 2017.

1 Cfr. Frances Yates: *Giordano Bruno y la tradición hermética*, Ariel, Barcelona, 1983; François Secret: *La Kabbala cristiana del Renacimiento*, Taurus, Madrid, 1979.

manifiestos anónimos titulados *Fama Fraternitatis* (1614) y *Confessio Fraternitatis* (1615), seguidos de un texto de narrativa simbólica llamado *Las bodas químicas de Christian Rosenkreutz* (1616),[2] atribuido este último al teólogo luterano Juan Valentín Andrea (1586-1654), cuyo escudo de armas familiar portaba los símbolos de la rosa y la cruz, presentes también en el sello usado por Martín Lutero. Así, el vínculo cristiano del rosacruz se daría sobre todo con el luteranismo.

En sus manifiestos los rosacruces se presentan como una fraternidad con propósitos de conocimiento filosófico y de altruismo. Hay un interés por lo intelectual y lo religioso que no descuida los elementos éticos expresados en el compromiso explícito de todo rosacruz –según las reglas de la orden– por luchar contra la pobreza, la ignorancia y la enfermedad. El rosacruz nació anónimo, con rostro desconocido o, en el mejor de los casos, brumoso, y así debió seguir, imposibilitado por el reglamento para presentarse como tal ante los otros y sin nunca usar un atuendo especial para identificarse, sino asumiendo el del lugar donde habitare. En este sentido, un rasgo del rosacruz es su invisibilidad: actúa, influye, pero no se le ubica. Tal invisibilidad social del rosacruz histórico alimentará después, a nivel imaginario, el poder sobrenatural de tornarse invisible físicamente para el caso del rosacruz literario.

Parte importante de los manifiestos es el establecimiento de la leyenda del fundador mítico de la orden, Cristián Ro-

2 Cfr. Juan Valentín Andrea: *Las bodas químicas de Christian Rosenkreutz*, Biblioteca Esotérica, México, 1988.

sacruz (ya castellanizado), quien habría nacido en Alemania en 1376 y muerto en 1484. De acuerdo con tal narrativa, fue de familia noble aunque empobrecida, tuvo una educación religiosa cristiana que le dio la oportunidad de aprender griego y latín, viajó luego al Oriente (a Egipto y a Marruecos, entre otros lugares), donde aprendió árabe y alquimia y entró en contacto con iniciados islámicos. Después habría visitado España y aprendido cábala, de donde volvió a su patria para fundar la orden rosacruz. Al morir, su cuerpo incorrupto fue guardado en una bóveda hasta ser descubierto tiempo después en una suerte de resurrección simbólica, secuencia que el poeta filorrosacruz W. B. Yeats resumió así:

> Cuenta la tradición que los seguidores del padre Christian Rosencrux envolvieron su cuerpo imperecedero en dignos ropajes y lo enterraron debajo de la casa de su Orden, en una tumba que contenía los símbolos de todas las cosas que hay en el cielo, en la tierra y en las aguas bajo la tierra; colocaron a su alrededor lámparas mágicas inextinguibles que ardieron durante generaciones hasta que otros estudiosos de la Orden dieron con la tumba por casualidad.[3]

El aprendizaje de diversas lenguas es un rasgo importante del rosacruz, no sólo para aprender en sus fuentes las doctrinas esotéricas, sino también para enseñarlas después a sus cofrades de otros países. El cosmopolitismo errante y políglota es parte de su perfil.

[3] William Butler Yeats: *Ideas sobre el bien y el mal*, La Fontana Mayor, Madrid, 1975, p. 185.

¿Fausto rosacruz?

Mencioné al inicio la cercanía entre el rosacruz y el mago renacentista, del tipo de Cornelio Agrippa o John Dee. Al respecto me parece significativo de este perfil parcialmente compartido la aparición cercana en el tiempo, para la lengua alemana, tanto de la trilogía rosacruz (a inicios del XVII) como del primer Fausto literario, a finales del XVI, en 1587. Y es que Fausto encarna en buena medida los rasgos del mago renacentista, vistos desde una óptica luterana que lo condena por sus supuestos vínculos con lo diabólico. En esta percepción cristiana, la magia es inseparable del diabolismo, pero también hay que tener en cuenta que, en la visión renacentista neopagana, la magia es un tipo válido de conocimiento y de práctica que no necesariamente se vincula con el diablo. La asociación establecida entre el mago Fausto y el demonio es de origen cristiano, ya sea católica o reformista, pero no corresponde a la visión neopagana del Renacimiento. Justamente, como bien lo ha mostrado Ioan Couliano en su libro *Eros et magie à la Renaissance*, pese a sus diferencias teológicas, católicos y protestantes se unieron en su lucha contra la cultura mágica renacentista, y la aparición del Fausto literario es un síntoma cultural de esta batalla, igual que lo fue la quema de brujas y de herejes.[4]

Si comparamos el *Faustbuch* de 1587, ese Fausto popular, anónimo, traducido casi de inmediato al inglés, mejorado lingüísticamente con un inglés más poético que el duro alemán de origen, que sería materia prima, hipotexto, del Fausto del dramaturgo isabelino Marlowe, de 1604, con el coetáneo

[4] Cfr. Ioan P. Couliano: *Éros et magie à la Renaissance. 1484*, Flammarion, Paris, 1984, p. 291.

corpus rosacruz –*Fama*, *Confessio* y *Bodas*–, más notables son los contrastes entre ellos que su afinidad en tener como eje la creación de un personaje imaginario vinculado con el conocimiento oculto, en un caso Fausto y en el otro Cristián Rosacruz. Para empezar, Fausto está basado en un personaje histórico de existencia reconocida, parcialmente documentada, anterior en casi un siglo a la primera versión alemana por escrito, mientras que Cristián Rosacruz tiene una base simbólica y mítica, aunque, como Fausto, en tanto personaje vivió mucho tiempo antes del momento en que se cuenta la historia.

Ese Fausto está concebido desde la Reforma, su ideología es en buena medida contrarrenacentista (según la entiende Couliano, esto es, antipagana), lo que lo diferencia de Rosacruz, máscara viva de esoterismo cristiano con influencia islámica y judía, algo más propio del Renacimiento. Aunque ambos surgen en contexto luterano, el de Fausto es conservador y está contra la magia, mientras que el luteranismo de Rosacruz es tolerante al respecto, lo que ha llevado a decir a la historiadora Frances Yates que los rosacruces «eran luteranos mágicos, herméticos y cabalísticos, particularmente adictos al simbolismo alquímico».[5] Yates ve a los rosacruces como «herméticos reaccionarios» en la medida en que siguieron aceptando a Hermes Trismegisto como figura histórica y como autor del *Corpus Hermeticum*. Este texto, considerado fuente antiquísima de sabiduría anterior a Platón y Moisés, tuvo gran influencia durante el Renacimiento, aunque su prestigio decayó cuando en 1614 Isaac Casaubon demostró filológicamente que

[5] Frances Yates: ob. cit., p. 467.

su antigüedad no iba más allá de los primeros siglos de nuestra era, con una autoría plural y no única, con lo que Hermes Trismegisto, igual que su heredero Rosacruz, resultó carente de fundamento histórico y terminó por pertenecer sólo al ámbito mítico y textual. Los rosacruces resultaron inmunes a la argumentación filológica e histórica de Casaubon y conservaron su fe en la extrema antigüedad del Hermes Tres Veces Maestro. De aquí su carácter reaccionario.

Fausto *versus* Cristián Rosacruz

Fausto en la primera versión por escrito es un ser caído, condenado a la larga por su búsqueda del conocimiento prohibido (cuyo emblema es el demonio), mientras que Rosacruz es un hombre salvado por el conocimiento, un triunfador del sendero espiritual, un «elegido para la alegría»,[6] según se lee en *Las bodas químicas...*, y en su historia el diablo es más bien marginal. Por ejemplo, al inicio de *Las bodas...*, la meditación profunda sobre «los enormes secretos» del héroe rosacruz es interrumpida por un gran viento enviado por el diablo, según dice la narración, pero aquel no le hace caso y continúa con su meditación.[7] Así, el diablo desaparece y comienza la mágica jornada de siete días del rosacruz. En cambio, Fausto no existe sin Mefistófeles y toda su vida posterior tras el pacto, así como su muerte, quedan bajo la sombra del demonio.

En términos de institución Fausto es un hombre solo, aislado, puede tener amigos y discípulos pero no forman una organización especial, mientras que Rosacruz es parte de

6 Juan Valentín Andrea: ob. cit., p. 7.

7 Ibídem, p. 3.

una orden, su conocimiento no es sólo de él sino transmitido y compartido por un grupo; representa un linaje, no una excepción.

Las posteriores evoluciones de cada personaje también son distintas. El carácter proteico, metamórfico, de Fausto le permitió adaptarse con el tiempo a diferentes situaciones, culturas y lenguas. Su impacto fuera de Alemania y del alemán es enorme. El Fausto popular llegó rápidamente al teatro (tanto de marionetas como de actores) y a la gran literatura, después a la ópera y a la música, luego al cine. En contraste, el carácter fijo de Cristián Rosacruz tuvo más bien un efecto limitado, en parte porque su difusión se veía obstaculizada por su propia condición esotérica de élite, por la ortodoxia religiosa y política y por el avance de la visión científica y secular. Cristián Rosacruz no llegó rápido a la literatura como tal, su perfil de vencedor espiritual no resultaba tan atractivo como el alma caída de Fausto. Para buscar mayores posibilidades dramáticas, y bajo la presión gótica y romántica, habrá de convertirse en un alma descarriada, en un ser que pese a un éxito inicial se desvía de la senda.

Si bien Cristián Rosacruz nació literario en *Las bodas químicas...*, lo hizo dentro de un género cerrado, restringido al iniciado hermético, no al lector común. Para que el rosacruz accediera a la dimensión de las letras mundanas pasaron casi dos siglos, hasta finales del XVIII, entre la Ilustración y el romanticismo, bajo la pluma del inglés William Godwin cuando escribió su novela *St. Leon.*[8] Para entonces ya Fausto llevaba múltiples y venturosas versiones en incesante ciclo de

[8] William Godwin: *St. Leon*, Oxford Paperbacks, 1994.

reencarnaciones literarias por casi dos siglos y ya más bien se preparaba para una de sus más celebradas formas, la que le brindaría Goethe.[9]

Romanticismo y rosacrucismo

Fue en el contexto del surgimiento de la novela gótica y de la irrupción del romanticismo cuando finalmente el rosacruz cuajó como personaje literario en la mencionada novela *St. Leon*, de Godwin, de 1799, seguida una década después por la novela *St. Irvyne or the Rosicrucian*, de su famoso yerno Percy B. Shelley, publicada en 1810.[10] Godwin, escritor ilustrado y filósofo de la reforma social, no dudó en crear un personaje rosacruz para mostrar la magia como decadencia moral e ilustrar los errores de la razón al desviarse por los caminos de lo sobrenatural. Como hombre de la Ilustración, creía en la razón como el agente que puede conquistar la muerte por medio del desarrollo del conocimiento y de la tecnología, sin embargo, recurrió como artilugio narrativo al expediente mágico del elíxir de la inmortalidad de procedencia alquímica y rosacruz.

Por entonces se vivía el esplendor de la narración gótica; había en Inglaterra avidez por que se tradujeran los escalofriantes novelones alemanes, y en la propia lengua, *The Monk*, de Lewis, causaba sensación entre el público.[11] Godwin, con apremiantes necesidades económicas, decidió entonces reunir novela gótica, *thriller* psicológico y leyenda rosacruz para el caso de *St. Leon*, con tan buen resultado que el éxito de esta nueva novela

[9] Cfr. Johann Wolfgang von Goethe: *Fausto*, Cátedra, Madrid, 2005.

[10] Cfr. Percy B. Shelley: *St. Irvyne or the Rosicrucian*, CreateSpace, 2012.

[11] Cfr. Matthew G. Lewis: *El monje*, LD Books, México, 2005.

superó al de la anterior, *Caleb Williams*, de 1794. Su título alude tanto al cabalista Moisés de León como a la ciudad en donde el alquimista Nicolás Flamel habría logrado la Piedra Filosofal y su consecuente inmortalidad.

Por su parte, el poeta Percy B. Shelley quiso capitalizar el éxito literario de Godwin y escribió su propia novela titulada *St. Irvyne or the Rosicrucian*, también queriendo aprovechar el auge de la novela gótica, aunque parece que no le fue tan bien como a su suegro. Shelley mismo, como buen romántico, mostraba un gran gusto por lo sobrenatural y el misterio, algo que algunos considerarían extraño en un poeta que logró notoriedad por haber defendido el ateísmo por la misma época en que publica su novela rosacruz. La extrañeza desaparece cuando leemos al principio de su ensayo *La necesidad del ateísmo* lo siguiente: «Dios no existe. Esta negación debe entenderse sólo en lo que afecta a una Deidad creativa. La hipótesis de un Espíritu inmanente coeterno con el universo sigue en pie.»[12] Esta ausencia de «deidad creativa» en Shelley se parece más a un panteísmo emanacionista, tal vez neoplatónico, ateísmo asimilado a la naturaleza, y en este sentido sí es compatible con el misterio. Posteriores esoterismos seguirán esta línea en ese mismo siglo, en especial la teosofía blavatskiana, que rechaza el creacionismo y la noción de un dios personal, y que la neoteosofía posterior, la de Besant, Leadbeater y demás, ya en el siglo XX, perdería de vista, dada su cristianización, que afectaría a sus ramas disidentes, como la antroposofía de Rudolf Steiner o la Escuela Arcana de Alice Bailey. Incluso el fenómeno mesiánico del primer Krishnamurti se entiende mejor en el contexto

[12] P. B. Shelley: *Ensayos escogidos*, DVD Ediciones, Barcelona, 2001, p. 13.

de la cristianización neoteosófica, ajena al discurso original de Blavatsky.

Ya antes Shelley había publicado *Zastrozzi*, novela también de tipo gótico, aunque no sobrenatural, elemento que sí entrará en *St. Irvyne*, que continúa con el asunto propuesto por Godwin del elíxir de la inmortalidad, un tópico sobre el cual creció el personaje rosacruz en la tradición romántica hasta su clímax en la novela *Zanoni*, de Edward Bulwer-Lytton. Tal elíxir es emblema del logro en la búsqueda del conocimiento prohibido que conduce al héroe a una paradoja trágica: tras alcanzar el estado de inmortal, el rosacruz descubre que no puede conocerse totalmente a sí mismo ni realizarse espiritualmente desde su adquirida inmortalidad física, pues ello sólo es posible por la muerte que le está negada. Experimentar la agonía de la frontera entre la vida y la muerte es lo que despierta en el alma la gran conciencia espiritual. El elíxir impide morir y así encarcela en su cuerpo al héroe, en su obsesión por sí mismo.

De esta manera Shelley contribuye a la leyenda del inmortal gótico, uno que, a diferencia de otros personajes románticos como el vampiro y el judío errante, se perdió en la oscuridad mientras buscaba la luz, aunque no esté completamente asimilado al mal. Su desviación es potencialmente redimible. Además del rosacruz, Shelley dio espacio en su escritura poética al judío errante para explorar la soledad, el exilio, la inmortalidad y la magia. En la elaboración de su personaje, Shelley tiene en cuenta al Fausto de Goethe, al que admiraba mucho según revela en su correspondencia, lo que se nota en el recurso del pacto con el demonio para obtener el conocimiento. De esta manera el rosacruz se contamina de diabolismo fáustico en

Shelley, vía Goethe, mientras que el de su antecesor, Godwin, no había tenido necesidad de recurrir al diablo.

Zanoni, el gran rosacruz

Tampoco lo hará el siguiente rosacruz literario, el de Bulwer-Lytton, Zanoni, el de mayor fuerza y con quien el prototipo llega a su esplendor con la publicación de la novela del mismo nombre en 1842, ya mencionada con anterioridad. En el ínterin otros autores, tanto en Inglaterra (v. g. Maturin, Mary Shelley) como en Francia (v. g. Balzac), habían creado sus propios inmortales más o menos rosacruces. *Zanoni* es la gran novela rosacruz, la que supera el entorno gótico que le habían dado sus antecesores y le brinda al texto y al personaje profundidad estética y filosófica, esto debido en parte a la propia militancia ocultista del autor, aunque también a sus amplias lecturas de filosofía romántica alemana.[13] Bulwer-Lytton (1803-1873) fue un escritor con gran reconocimiento en vida. Su muerte y el tiempo transcurrido han erosionado grandemente su imagen y su legado literario de tipo histórico y costumbrista, aunque no, llamativamente, sus títulos de corte fantástico, como *A Strange Story* o la destacada *Zanoni*, o *The Coming Race*, esta última de ciencia-ficción. Otro de sus títulos que ha logrado sobrevivir hasta nuestros días por sus adaptaciones al cine y a la televisión es *The Last Days of Pompey*.[14]

Bulwer-Lytton no sólo obtuvo el aplauso del público general sino también del lector ocultista, que mantuvo vivos

13 Cfr. Edward Bulwer-Lytton: *Zanoni*, EISA, México, 1980.

14 Cfr. Edward Bulwer-Lytton: *Los últimos días de Pompeya*, Biblioteca Luna, Madrid, 2018.

sus libros fantásticos, sobre todo el *Zanoni*, cuando ya su estrella literaria menguaba en sus otras facetas. Por ejemplo, Madame Blavatsky se refirió a él siempre en términos muy elogiosos, y en su primer libro *Isis Unveiled* dijo que «ningún autor en el mundo de la literatura dio alguna vez una descripción más verdadera o más poética de estos seres [los rosacruces] que Sir E. Bulwer-Lytton, el autor de *Zanoni*».[15] Debido a esta gran admiración, algunos estudiosos contrarios a Blavatsky han querido ver en la narrativa del escritor inglés una fuente importante de los escritos de la teósofa rusa, lo que es una tontería que demuestra de paso un escaso y prejuiciado conocimiento de su obra, que supera con creces cualquier identificable inspiración en Bulwer-Lytton.[16] Incluso en los casos de académicos tan notables como Mircea Eliade y Gershom Scholem, dudo que hayan leído seriamente a Blavatsky, dado el tenor endeble de sus afirmaciones. Quizás la conocieron indirectamente por segundas fuentes o desde la perspectiva negativa de René Guénon, sobre todo en el caso de Eliade, tal como lo han mostrado Wasserstrom y después Grotanelli.[17]

15 Marie Roberts: *Gothic Immortals. The Fiction of the Brotherhood of the Rosy Cross*, Routledge, New York, 1990, p. 160.

16 Para ampliar sobre la obra y vida de Madame Blavatsky, véase José Ricardo Chaves: «Sobre la obra literaria de Helena Blavatsky», *México heterodoxo. Diversidad religiosa en las letras del siglo XIX y comienzos del XX*, UNAM / Iberoamericana / Bonilla Artigas, México, 2013, pp. 223-234.

17 Cfr. Steven Wasserstrom: *Religion after Religion. Gershom Scholem, Mircea Eliade and Henry Corbin at Eranos*, Princeton University Press, 1999; Cristiano Grotanelli: «Mircea Eliade, Carlt Schmitt, René Guénon, 1942», *Revue de l'Histoire des Religions*, n.° 219-3, vol. 219, 2002, pp. 325-356.

La novela, a la que el autor llama en algún momento «ensayo poético», cuenta la historia del misterioso Zanoni, rosacruz cálido, amable, de temperamento artístico, con poderes sobrenaturales; de su maestro Mejnour, rosacruz frío, analítico y de alguna manera su contrario; así como del discípulo Glyndon, que fracasará en su intento por entrar a la orden pues, como Fausto (que es mencionado directamente), es proclive a la lujuria. Zanoni es un inmortal que, paradójicamente, hacia el final de la novela logrará morir por medio de un acto altruista, acto requerido para alcanzar una verdadera y anhelada inmortalidad. Todo esto ocurre en el contexto represivo del terror generado por la Revolución francesa, que es vista de manera negativa y algunos dirían que hasta reaccionaria.

Parte de la inspiración para el personaje de *Zanoni* se debió al célebre mago de fines del siglo XVIII, Cagliostro, verdadero Fausto de tiempos de la Ilustración, viajero y curador de gran influencia entre nobles y plebeyos, que acabaría sus días en las mazmorras de la Inquisición. Incluso en algún momento de la novela se habla de Zanoni como de un «segundo Cagliostro», con el que comparte rasgos de supuesta juventud eterna, don profético, múltiples lenguas, poderes curativos y demás. No sólo Bulwer-Lytton mostró interés por el Cagliostro histórico, ya antes el personaje había sido objeto de interés por parte de autores alemanes como Schiller y Goethe, y de franceses como Nerval. A su vez, *Zanoni* inspiró a Dumas para escribir su propia versión de Cagliostro, inmortalizado literariamente en su novela *Joseph Balsamo. Mémoires d'un medecin.*[18]

18 Cfr. Fabio García Saleh: *El tesoro oculto del Conde Montecristo. Masonería y ocultismo en la obra de Alejandro Dumas*, Arcopress, Córdoba, 2014.

Con Bulwer-Lytton el rosacruz llega a su clímax literario y después el desarrollo secular y científico lo deja en el olvido. Nuevos sujetos misteriosos surgen en la escena literaria, siendo el vampiro el más importante y seductor, sobre todo en el fin de siglo con Bram Stoker y su *Drácula*. Por el lado de los ocultistas, sin embargo, *Zanoni* sigue viéndose como el gran paradigma literario y algunos de aquellos, siguiendo su ejemplo, se lanzaron a la aventura narrativa para expresar asuntos doctrinales. Se generaría entonces una producción literaria de procedencia ocultista con logros dispares en términos de calidad, enfocada sobre todo al género fantástico y la poesía. Los ocultistas practicantes pronto descubrieron las ventajas de la narración literaria para transmitir sus ideas, y los resultados dependieron de su cultura y su habilidad literaria.

Practicantes ocultistas que escribieron novela

Tres ejemplos de novelas rosacruces procedentes de ocultistas practicantes son las ya mencionadas *Ravalette. The Rosicrucian's Story* y *Rosa-Cruz. Novela de ocultismo iniciático*, así como *Una aventura en la mansión de los adeptos rosacruces*, del alemán Franz Hartmann (1838-1912).[19]

De las tres novelas, *Ravalette*, de 1863, es quizá la más lograda literariamente, pese a su estilo brusco, poco cuidado, afeado para el escéptico con largas partes doctrinales. Aún así, la situación dramática planteada es interesante, con un personaje

19 Cfr. Pascal Beverly Randolph: *Ravalette. The Rosicrucian's Story*, Philosophical Publishing Company, Pennsylvania, 1939; Arnold Krumm-Heller: *Rosa-Cruz. Novela de ocultismo iniciático*, Kier, Buenos Aires, 1991; Franz Hartmann: *Una aventura en la mansión de los adeptos rosacruces*, Kier, Buenos Aires, 1983.

de tipo fantástico, un inmortal que se manifiesta en múltiples formas y nombres, un ente verdaderamente proteico. Uno de los atractivos del Ravalette personaje es su metamorfosis incesante y sobrenatural que lo torna huidizo y ambiguo. No en balde el famoso autor de origen austriaco Gustav Meyrink, creador de otro icono de monstruo fantástico, el Golem, tradujo al alemán la novela de Randolph. Meyrink, escritor y ocultista, supo valorar la parte iniciática pero también literaria de *Ravalette*. También influyó en su propia obra narrativa, como se aprecia en *El ángel de la ventana de occidente* (1927),[20] una de las novelas más importantes de Meyrink, algo oscurecida por el éxito de *El Golem*.

Una aventura en la mansión de los adeptos rosacruces, por su parte, presenta una trama narrativa endeble donde domina al afán doctrinal. Hartmann fue un teósofo que estuvo muy cerca de Madame Blavatsky mientras vivieron en la India, y al regresar a Europa continuó trabajando en los medios teosóficos, masónicos y rosacruces, donde destacó por sus libros y actividades esotéricas. Viajó mucho, incluso estuvo en México, y escribió esa novela que destaca por la «teosofización» que hace del rosacrucismo, su lectura a partir de las enseñanzas de Blavatsky, con sus ingredientes hindúes y budistas, en el de por sí espeso magma esotérico occidental -hermetismo, cábala, neoplatonismo-. Llama la atención cómo el autor presenta como rosacrucismo lo que en realidad es teosofía blavatskiana. Incluso se usan en sus exposiciones rosacruces muchos términos de la jerga teosófica.

[20] Cfr. Gustav Meyrink: *El ángel de la ventana de occidente*, Valdemar, Madrid, 2006.

Hartmann empieza su novela muy en la tradición de los *Märchen* o relatos maravillosos de los germanos, en el contexto de las montañas alpinas de Baviera, donde ocurre la historia. Ahí el aspirante a rosacruz emprende el ascenso a la montaña geográfica para acceder a la montaña simbólica en un escondido valle, una suerte de Shangri-La alpino en el que hay un monasterio teosófico donde habitan los rosacruces y donde él recibe instrucción. Sin embargo, cae víctima de la lujuria con una ondina (cual viejo relato romántico), como Glyndon en *Zanoni*, y entonces debe abandonar el ascético lugar sagrado. Lo que pareciera un sueño es afirmado como realidad por la presencia de una literal flor de Coleridge. Como escribió el autor inglés: «Si un hombre atravesara el Paraíso en un sueño, y le dieran una flor como prueba de que había estado allí, y si al despertar encontrara esa flor en su mano… ¿entonces qué?».[21] Así le pasa al rosacruz accidental de Hartmann: al despertar de lo que podría ser un sueño se encuentra con su propia flor del Paraíso proveniente del monasterio teosófico. Asombrado exclama: «Cogí el lirio y no se desvaneció en mi mano, era tan palpable y real como el suelo que pisaba.»[22] Y no sólo el lirio proviene de allí: también un poco de oro y un libro cargado de símbolos, para que no quede ninguna duda de la otra realidad rosacruz.

Krumm-Heller y el ocultismo multicultural

Queda por comentar la novela de Krumm-Heller, *Rosa-Cruz*, publicada originalmente en Berlín en 1918 con el título de *Der*

[21] Coleridge citado por Jorge Luis Borges: «La flor de Coleridge», *Obras completas*, t. 1, Emecé Editores, Buenos Aires, 1974, p. 639.

[22] Franz Hartmann: ob. cit., p. 128.

Rosenkreuzer aus Mexico (*El rosacruz de México*), traducida al español por el propio autor y publicada en Barcelona y México con capítulos añadidos a la edición en alemán, correspondientes a las experiencias catalanas del autor y del personaje, en los erosionados e iniciáticos macizos de Monserrat, después de haber estado en México y Alemania. Otra vez estamos frente a una pareja rosacruz de maestro y discípulo en que el primero es germano-mexicano. Este personaje mantiene una presencia en la política del país, ha apoyado a Francisco I. Madero y luego a Venustiano Carranza, y con la llegada al poder de Victoriano Huerta sale hacia Alemania, donde continúa su historia con asuntos amorosos y doctrinales hasta su triunfal iniciación en Monserrat. A diferencia de la novela de Hartmann, el contexto político del personaje es importante: si la Revolución francesa había desvelado a Zanoni, la Revolución mexicana hace lo mismo con Rassmusen, el rosacruz criollo de Krumm-Heller.

En contraste con los personajes de Bulwer-Lytton o de Hartmann, aquí el aprendiz rosacruz no debe renunciar a la sexualidad sino encauzarla adecuadamente (Krumm-Heller poseía algunas nociones tántricas). Sin duda, para un lector mexicano o latinoamericano, esta novela resulta interesante por la vinculación que se hace de la tradición rosacruz, hasta entonces europea, con lo mexicano e hispanoamericano en general, pues ahora el eclecticismo teosófico, ya inaugurado por Hartmann, quiso incluir en su ensamble rosacruz a las culturas indígenas americanas, a semejanza de lo que hizo Krumm-Heller mientras vivió. Fue un personaje de primera en el mundo ocultista de su época, perteneciente a muchas filiaciones esotéricas europeas. Logró integrar a América

Latina (Chile, Perú, México, Brasil, Venezuela) en el circuito ocultista occidental a nivel de organizaciones y estructuras institucionales, además de asuntos de doctrina. De hecho uno de sus nombres ocultos fue Maestro Huiracocha (como el dios/gobernador inca), tras haber tenido una experiencia mística en Perú.

Rosacruces en la alta literatura

Para buena suerte del lector la atracción literaria por Cristián Rosacruz no quedó, después de Bulwer-Lytton, en manos sólo de los ocultistas metidos a escritores, pues ya en el siglo XX grandes poetas lo tomaron en cuenta en sus creaciones. Ya mencioné el caso de William Butler Yeats en su breve descripción poética de la tumba secreta del Padre Rosacruz. En ese texto establece un paralelismo entre su estado de animación suspendida y el de la imaginación en la cultura occidental hasta el momento en que escribe, 1895, «cuando el mundo externo ya no es la norma de lo real».[23]

También el poeta portugués Fernando Pessoa escribió tres sonetos a Christian Rosencreutz, con un epígrafe de la *Fama Fraternitatis* que se refiere al aspecto de su tumba. El tercer soneto acaba justamente con esa imagen: «Quieto en la falsa muerte a nosotros expuesto, / Cerrado el libro, contra el pecho puesto, / Nuestro Padre Rosacruz conoce y calla.»[24]

Tenemos también la mención de Jorge Luis Borges quien, en uno de sus cuentos más notables, «Tlön, Uqbar, Orbis Tertius», menciona dos veces a Juan Valentín Andrea, en tanto autor, no

[23] William Butler Yeats: ob. cit., p. 186.

[24] Fernando Pessoa: *Poemas esotéricos*, Verdehalago, México, 2004, p. 112.

sólo de las *Bodas químicas*, sino también de un libro mencionado en una bibliografía sobre el ficticio país de Uqbar. Se refiere a él como «un teólogo alemán que a principios del siglo XVII describió la imaginaria comunidad de la Rosa-Cruz –que otros luego fundaron, a imitación de lo prefigurado por él».[25] Hacia el final del cuento, en una posdata, escribe sobre el nacimiento de la fraternidad: «A principios del siglo XVII, en una noche de Lucerna o de Londres, empezó la espléndida historia. Una sociedad secreta y benévola [...] surgió para inventar un país. En el vago programa inicial figuraban los "estudios herméticos", la filantropía y la cábala. De esa primera época data el curioso libro de Andrea.»[26] Posteriormente algunos pusieron en duda la existencia de dicha sociedad rosacruz, aunque no su impacto social por vía de sus manifiestos.

Borges parece adherirse a esta hipótesis pues habla de Andrea en tanto inventor de «la imaginaria comunidad de la Rosa-Cruz», para luego acotar, con distancia escéptica, respecto a tal comunidad «que otros luego fundaron, a imitación de lo prefigurado por él». Es decir, Andrea no sería el fundador en el ámbito histórico –como Cristián Rosacruz lo es en el mítico– sino apenas su prefigurador imaginario (dicho sea de paso, la autoría de Andrea sólo está comprobada para *Las bodas químicas*, no para los manifiestos). Uqbar y la primera sociedad rosacruz compartirían un proceso de creación y expansión ficticias que terminaría manifestándose *a posteriori* en el campo histórico. En cualquier caso, más allá de las dudas de Borges y

[25] Jorge Luis Borges: «Tlön, Uqbar, Orbis Tertius», *Obras completas*, t. 1, Emecé Editores, Buenos Aires, 1974, p. 433.

[26] Ibídem, p. 440.

otros, la asociación simbólica e ideológica entre rosacrucismo y luteranismo queda establecida desde sus orígenes (reales o imaginados), aunque no siempre en buenos términos, pues el primero quiere completar la reforma religiosa, social y política que, a su juicio, el segundo no había llevado a buen puerto.

Puede afirmarse entonces que, tras su nacimiento en cuna hermética, el personaje rosacruz llega al mundo literario en contexto gótico y romántico con Godwin y Shelley; alcanza madurez dramática y filosófica en Bulwer-Lytton; se pone al servicio de la doctrina oculta en Randolph, Hartmann y Krumm-Heller; y llega sutil y breve a la más alta literatura en Yeats, Pessoa y Borges. Una trayectoria literaria nada deleznable para un personaje que, aparentemente, decayó desde la segunda mitad del siglo XX. Aunque quizá otra vez esté tan sólo durmiendo en su tumba secreta para en un tiempo regresar. Nunca se sabe.

Incestuosa Madame Frankenstein*

El ciento cincuenta aniversario de la muerte de Mary W. Shelley (1797-1851) es una buena oportunidad para exponer, en una suerte de rápido ejercicio comparativo, algunas ideas sobre dos novelas suyas: *Frankenstein* (1818), que la volvería célebre, y *Mathilda*, terminada poco después aunque publicada póstumamente, de carácter autobiográfico apenas velado.[1]

De entrada, hay un aparente contraste en el estatuto literario de ambas: una es de corte fantástico, gótico, precursora de la ciencia ficción; la otra es realista, cuando menos no hay en ella nada sobrenatural. Todo lo que ocurre en *Mathilda* puede explicarse por el orden usual de las cosas, si bien influido por el ímpetu pasional del héroe romántico, en este caso, la heroína. Para relatar el desamparo de la hija por el padre, en *Mathilda*, la narradora Shelley no tiene que cambiar de sexo, nada de travestimentos imaginarios como hace en *Frankenstein*.

* Este texto fue publicado originalmente en *Anuario de Letras Modernas*, vol. 11, 2002-2003.

1 Cfr. Mary W. Shelley: *Frankenstein o El moderno Prometeo*, Montesinos, Barcelona, 1971; *Mathilda*, Montesinos, Barcelona, 1997.

No obstante su distinto tipo ontológico-literario, ambas novelas, que llevan como título el nombre de sus protagonistas (un hombre y una mujer), son trágicas. Sus personajes están sujetos a las fuerzas del destino, encarnan al héroe romántico (o a la heroína) sometido/a por sus pasiones, consciente de que el mejor modo para expresarlas es experimentándolas en la vida real. El parecido no es sólo dramático, sino estructural (psicoanalíticamente hablando); ambos textos problematizan y narran la relación Padre-Hijo/Hija, y en ambos se dan situaciones tanto de abandono del hijo/hija por el padre, como la búsqueda de uno por otro después, resueltas con el desencuentro, la muerte y la soledad.

En *Frankenstein* el padre abandona al hijo tras crearlo. Lo trae al mundo y no se responsabiliza por él ni le brinda compañía, tampoco la compañera pedida por el monstruo (bajo el argumento del deber a la especie humana, que supone no producir otra especie que pudiera exterminar a la primera). El hijo decide vengarse. Asesina los amores del padre para lograr amarrarlo, ya no por el amor, sino por el odio. El padre persigue al hijo para destruirlo. El hijo goza de esta persecución y hasta ayuda a su perseguidor cuando desfallece: que restablezca sus fuerzas y se reinicie la cacería. Cuando el padre muere, agotado, el hijo decide suicidarse mediante el fuego.

En *Mathilda*, al tratarse de una hija y no de un hijo, se introduce un factor nuevo: la tensión erótica entre los sexos, que Shelley canaliza por el lado del incesto, lo que representa el mal en la novela. Con el despliegue sexual que significó el romanticismo en la literatura, uno de los tópicos eróticos a los que se recurrió fue el incesto, que sirvió para ilustrar las doctrinas platónicas sobre el amor, en cuanto a complementariedad de alma y cuerpo, a veces basada en el ideal andrógino. En este sentido, el tipo de incesto utilizado fue sobre todo el de hermano y hermana, ubicados los dos al mismo nivel. Para ciertos escritores resultaba una feliz circunstancia poética y filosófica. El motivo del incesto había sido usado por Percy B. Shelley en algunas de sus creaciones, y por el escritor francés François-René de Chateaubriand, en *Atala*, y seguiría usándose durante el resto del siglo, como en la inconclusa novela de Algernon Charles Swinburne, *Lesbia Brandon*, o bien por los escritores decadentes y simbolistas ya en el fin de siglo.

En vez del más generalizado y literario incesto entre hermanos, Mary W. Shelley acude al que se da entre padre e hija, con lo que se mete en un terreno más escabroso, no sólo en lo personal, en lo que a su autobiografía toca, sino también socialmente, pues resultaba muy revelador de su propia condición ante los demás. Quizá esto contribuyera a que la publicación del texto fuera póstuma. En su trama, después de la muerte de la amada en el parto, el padre abandona a la hija por varios años y reaparece cuando ella es una joven de diecisiete años. Entonces se abre un periodo de suprema felicidad para ambos, que se acaba cuando el padre reconoce y confiesa su atracción física por la hija, réplica de la amada muerta. Ante el rechazo, el padre abandona a la hija. Después, temerosa de lo peor, esta sale en su búsqueda, como Víctor Frankenstein tras el monstruo, pero no logra llegar a tiempo para impedir su suicidio, su muerte por agua al ahogarse en el mar tras saltar al abismo. Mathilda recoge el cadáver de su padre, igual que Mary W. Shelley recogería el de su marido Percy al poco tiempo de escritas aquellas líneas. No en balde la propia Mary escribió en una carta a su amiga Mary

Ginsbome que «*Mathilda* predice hasta los más pequeños detalles de lo que ocurrió más tarde; en conjunto, se trata de un documento conmemorativo de lo que estoy viviendo hoy».[2]

En el caso de la novela *Mathilda*, la muy elaborada escena del reencuentro del padre con la hija adolescente va acompañada, de parte de su personaje femenino, de fantasías de cambio de sexo (la joven quiere buscar a su padre disfrazada de muchacho, igual que Mary disfrazada del monstruo masculino de *Frankenstein*). El día del ansiado encuentro, poco antes de que suceda, Mathilda se pierde «en el dédalo de los bosques mientras los árboles ocultaban todas las huellas que hubieran podido guiarla».[3] O sea, la joven se pierde en el laberinto poco antes de encontrar al minotauro, a su padre. Para regresar la joven tiene que tomar una barca. El encuentro se produce con el padre en tierra y Mathilda llegando por agua, vestida de blanco, con el cabello flotando sobre sus hombros, más cercana a una aparición que a un ser humano (el retorno de la amada muerta). Se trata de una escena que es descrita por el padre como «sobrenatural», que está cargada de un gran poder mítico, arquetípico: la mujer en la barca, el Leteo, la muerte, Caronte. Es una escena de rasgo profético que anuncia el carácter trágico y necrofílico de la historia. Esta complacencia ante la muerte no carece de voluptuosidad, tal como lo atestiguará Mathilda con sus «mejillas rojas de placer sólo de imaginar la muerte»,[4] y declarándose una «enamorada de la muerte»,[5] esto es, enamorada del padre.

2 Cfr. Carmen Virgili: «Prólogo», en Mary W. Shelley, *Mathilda*, Montesinos, Barcelona, 1997, pp. 17-18.

3 Mary W. Shelley: *Mathilda*, p. 42.

4 Ibídem, p. 155.

5 Ibídem, p. 147.

Volviendo a las comparaciones, interesa resaltar que en *Frankenstein* el monstruo no tiene nombre en la historia y que en *Mathilda* quien no lo tiene es el padre. La gran pregunta que surge es ¿quién es el monstruo? El asunto no está claro ni siquiera en *Frankenstein*, como parecería en un primer momento, pues si bien la criatura es el monstruo físico e innominado, Víctor es el monstruo moral que no se hace responsable por sus actos y que evidencia el fracaso de la razón sin ética. Tampoco en *Mathilda* están claros los límites de monstruosidad, pues si en principio el padre es el monstruo, con su muerte, la hija hereda el estigma del padre, y se siente «manchada de infamia y pecado».[6] Poco antes de su muerte Mathilda decide escribir su historia mientras vive en el páramo, al borde de la civilización, en el exilio, la soledad y el silencio. Llama la atención cuánto se parecen las quejas de Mathilda y las del monstruo de *Frankenstein*, en términos de estar exiliados del mundo, tal como corresponde a la heroicidad romántica. Ambos padecerán la muerte del padre por agua (uno ahogado, el otro en un barco en el polo) y, tras esto, morirán ellos mismos: el hijo de Víctor se suicida quemándose en un medio de hielo y agua (una pira en el polo), en una verdadera unión de los contrarios. Mathilda, más discretamente, se deja morir en el páramo por enfermedad y melancolía, tras dejar sin seguimiento su intento de suicidarse con láudano.

En ambas novelas el Oriente romántico juega un importante papel al añadir exotismo y erudición a las tramas. En *Frankenstein*, Clerval, el amigo de Víctor que será asesinado por el monstruo, es un orientalista que estudia persa, árabe

[6] Ibídem, p. 140.

y sánscrito no sólo por gusto personal sino para «contribuir eficazmente al progreso de la colonización y el comercio europeos».[7] En *Mathilda* el padre que regresa ha errado por Oriente, por Persia, Arabia y el norte de la India y, cual un Richard Burton antes de tiempo, «se había mezclado con los indígenas con una libertad de la que muy pocos europeos habían disfrutado».[8] Sus vagabundeos solitarios por «países salvajes, entre seres de costumbres simples o bárbaras»,[9] lo hicieron consciente de la relatividad de las costumbres y convenciones, por lo que

> donde anteriormente se sometía, ya no admitía ahora ninguna prohibición que no le hubiese sido dictada por su propia ley. Había visto tantas costumbres y conocido tal variedad de creencias morales que se había visto obligado a forjar las suyas propias, independientemente de las del lugar.[10]

Seguramente tal relatividad moral producto de sus andanzas orientales, más el parecido de la hija con la amada muerta, llevaron al padre sin nombre a proclamar su pasión prohibida.

Es notable también el carácter ilustrado tanto del monstruo como de Mathilda. El primero aprende a hablar y a leer francés (aunque la novela esté escrita en inglés) ¡y es vegetariano! ¡Qué lejana su dieta de la del vampiro o la del hombre lobo! Sus lecturas son Volney, Goethe, Milton, Plutarco y el diario

[7] Mary W. Shelley: *Frankenstein o El moderno Prometeo*, p. 222.
[8] Mary W. Shelley: *Mathilda*, pp. 43-44.
[9] Ibídem, p. 45.
[10] Ídem.

de su padre. El monstruo no se limita a vivir una tragedia sino que también reflexiona sobre ella. Por su parte, Mathilda igualmente es una mujer ilustrada, rodeada de libros desde pequeña hasta su edad adulta, pues aún en su exilio Mathilda lee y escribe sus memorias. El alto nivel educativo de los personajes les permite teorizar sobre su existencia trágica y sobre sus causas, accediendo así a un nivel de generalidad aplicable a todos los seres humanos. Se trata del héroe romántico como pedagogo, lo que resalta con más fuerza en *Frankenstein* que en *Mathilda*.

Por último, a diferencia de *Frankenstein*, donde el rechazo del hijo por el padre es lo que desencadena el conflicto, en *Mathilda* es el repudio del padre por la hija lo que consuma la tragedia. El conflicto es con el padre y no con la madre, lo que explicaría en parte la ausencia de maternidad en las tramas. Lo interesante es ver este juego de espejos entre ambas novelas (tan cercanas en el tiempo), una escrita en clave fantástica mientras que la otra es más psicológica, apegada a un orden natural. El horror de *Mathilda* no reside en el cuerpo, como en *Frankenstein*, sino en la propia pasión incontrolable, en el destino. Ambas novelas se iluminan recíprocamente y su confrontación arroja paralelismos sospechosos dignos de investigarse con más calma. Con su resplandor incestuoso *Mathilda* aclara retrospectivamente la estructura secreta de *Frankenstein*, da nuevas claves de interpretación y enriquece sus posibilidades hermenéuticas en lecturas más allá de lo fantástico y de lo gótico.

Vampirismo y sexualidad en el siglo XIX*

Aunque el vampiro como tema cultural tiene una larga existencia en el folclor y la leyenda, en tanto personaje literario es hasta el siglo XIX, en el contexto del romanticismo, cuando se consolida, no sólo en su vertiente masculina con el Drácula, de Stoker, cuya invención centenaria celebramos en 1997, sino también en sus figuraciones femeninas, como la Clarimonde de Théophile Gautier o la Carmilla de Sheridan Le Fanu.[1] Ya el siglo XVIII había sido escenario de una ola de vampirismo en distintos puntos de la geografía europea y en variados momentos, al grado que algunas autoridades nombraron comisiones científicas para estudiar tales rumores recurrentes y escandalosos en pleno Siglo de las Luces. La epidemia vampírica había partido del este de Prusia en 1710, ahí de nuevo se dio en 1721, y siguió por Hungría (1725-1730), la Serbia austríaca (1725-1732), otra vez Prusia en 1725, Silesia en 1755, Valaquia en 1756 y Rusia en 1772. Había, pues, antecedentes folclóricos e

* Este texto fue publicado originalmente en *Anuario de Letras Modernas*, vol. 9, 1998-1999.

1 Cfr. Bram Stoker: *Drácula*, Debolsillo, México, 2005; Théophile Gautier: *La muerte enamorada*, Rey Lear, Madrid, 2011; Joseph Sheridan Le Fanu: *Carmilla: la mujer vampiro*, Obelisco, Barcelona, 2005.

incluso antropológicos para el vampiro, pero todavía no era un personaje literario.

Hoy, al revisar su trayectoria de casi dos siglos, descubrimos que el vampiro como arquetipo es polivalente sexualmente, ya que puede encarnar tanto en hombre como en mujer y en vías heterosexuales, bisexuales y homosexuales. El lesbianismo fue un elemento importante para caracterizar a la vampira desde sus inicios literarios, como en *Carmilla*. En cambio, el vampiro homosexual (por ejemplo la versión de Anne Rice) tuvo que esperar hasta el siglo XX para salir del clóset, perdón, del ataúd.[2] Bram Dijkstra, autor de un excelente estudio sobre la cultura sexual y artística del antepasado fin de siglo llamado *Ídolos de perversidad*, ha subrayado el carácter rabiosamente heterosexual de Drácula, como corresponde a un buen vampiro victoriano.[3]

Podría vincularse en una atrevida voltereta psicoanalítica esta represión tan fuerte de la homosexualidad de Drácula con el propio autor. Al respecto, la particular relación de Bram Stoker con el actor Henry Irving (más allá de la esposa de por medio) ha levantado las sospechas de más de un biógrafo, y esto importa, no tanto como chisme biográfico, sino como posible elemento clave para la comprensión del sustrato psicológico y emocional que pudiese haber en la elaboración del *Drácula*.

La presencia primera de la homosexualidad femenina antes que la masculina en la literatura no se da sólo en el ámbito vampírico sino también en el resto de ella, fantástica o no. Desde

[2] Cfr. Anne Rice: *Entrevista con el vampiro (Crónicas vampíricas I)*, Penguin Random House, Madrid, 2014.

[3] Cfr. Bram Dijkstra: *Idols of Perversity. Fantasies of Feminine Evil in Fin-de-Siècle Culture*, Oxford University Press, Nueva York, 1986.

Baudelaire, y sobre todo con los decadentes, la lesbiana, con todo y su carga sulfúrica, tiene un mayor estatus que el homosexual masculino, figura mal vista que aparece mucho menos y más veladamente, y casi siempre como pederasta, es decir, en una relación adulto-adolescente, quizá la forma clásica de homosexualidad en Occidente desde los griegos. El lesbianismo de la heroína de Balzac en *La muchacha de los ojos dorados* es claro, directo, apenas contenido para efectos de suspenso y sorpresa narrativos, no por pudor.[4] En cambio, Vautrin, el personaje de varias historias de *La comedia humana*, apenas susurra su gusto por los muchachos.

Llama la atención que la consolidación del arquetipo literario se dé en su versión masculina, es decir, Drácula, aunque a lo largo del siglo, desde *La novia de Corinto* de Goethe,[5] hasta las ya mencionadas Clarimonde y Carmilla, las vampiras habían sido más llamativas desde el punto de vista literario, pues esto permitía desarrollar otra figura muy de moda en la imaginería romántica, la de la mujer fatal, ávida de dinero y sexo. La devoradora de hombres fácilmente podía metamorfosearse en una chupadora de sangre. Esta operación no fue nada difícil en la atmósfera misógina del siglo XIX, donde el feminismo creciente y las mujeres que abandonaban el hogar asustaban a una buena parte del entramado social. No es casual que filosóficamente el siglo inicie con Schopenhauer, quien afirmaba que las mujeres eran animales con cabellos

4 Cfr. Honoré de Balzac: *La muchacha de los ojos dorados*, Alba, Barcelona, 2013.

5 Cfr. Johann Wolfgang von Goethe y August Gottfried Bürger: *Los muertos cabalgan deprisa: «Lenora» y «La novia de Corinto»*, Oficina de Arte y Ediciones, Madrid, 2015.

largos e ideas cortas, y que acabe con Nietzsche, quien recomendaba a los hombres que, cuando fueran a salir con una mujer, no se les olvidara llevar el látigo.

El siglo XIX fue escenario de múltiples cambios que no ignoraron el terreno sexual, fue el momento de la modificación de las identidades masculina y femenina hasta entonces vigentes. Generalmente tendemos a catalogar dicha época como emblema de una gran represión sexual y se habla así del «siglo victoriano» o de una «moral victoriana». Es cierto que hubo un endurecimiento y hasta un retroceso en materia de apertura sexual en relación con el siglo XVIII, más liberal al respecto, pero también se dio una proliferación de discursos sobre el sexo desde instancias distintas a las religiosas, que eran las que hasta el momento habían sido dominantes. En su *Historia de la sexualidad* Michel Foucault nos advierte contra la necesidad de superar tal prejuicio y ver al siglo XIX como un campo de tensiones y de plétora discursiva laica en torno al sexo, aunque en las costumbres no hubiera tanta liberalidad o se diera de manera solapada.[6]

Dentro de la problemática erótica la sexualidad femenina fue uno de los temas en discusión, desde los que la negaban acérrimamente, al menos en una mujer sana y decente, limitándola tan sólo a la maternidad, hasta los que hacían sinónimos sexualidad, naturaleza, mujer y bestialidad. De una forma u otra, por angelización o por demonización, la mujer se constituye como punto clave de la alteridad sexual, de ser mero reflejo del hombre se torna en una otredad amenazante

[6] Michel Foucault: *Historia de la sexualidad 1. La voluntad del saber*, Siglo XXI Editores, Buenos Aires, 2016, p. 45.

desde lo cotidiano, desde el ámbito doméstico, desde el lecho amoroso, es decir, se vuelve siniestra, en sentido freudiano.

Literariamente esto se tradujo en la consolidación de dos tipos femeninos, la mujer frágil, asociada a la maternidad, asexual, etérea, que engendra un verdadero culto a la «monja doméstica»,[7] y el tipo de la mujer fatal ya mencionado. En la primera parte del siglo es la mujer frágil la que domina literariamente hablando, mas en la segunda mitad, con la segunda ola romántica, la de simbolistas y decadentes, es el tipo de la mujer fatal el que cobra fuerza. La vampira es justamente una de sus encarnaciones.

Por su parte, los personajes masculinos también sufren una evolución en este paisaje literario, y si en el primer romanticismo se tenía pujante al tipo del hombre fatal, el héroe misterioso y rebelde a lo Byron, para el ocaso del siglo tal héroe se ha invertido (en diversos sentidos) y aparece débil, abúlico, desencantado. La evolución del personaje masculino romántico es contraria a la del femenino: mientras ellas se fortalecen y van de menos a más, ellos se debilitan y van de más a menos. En los términos de la época, las mujeres se masculinizaban mientras que los hombres se feminizaban.

Como estrategia de género, los románticos realizan una transfiguración imaginaria de la mujer y establecen una polaridad mujer fatal/mujer frágil, frente a la cual erigen un héroe melancólico, nostálgico por las mujeres de antaño y temeroso de las de su época. Dicha polaridad manifiesta una relación vampírica entre los sexos: la mujer fatal vampiriza al héroe melancólico que a su vez vampiriza a la mujer frágil. El trasfondo

[7] Bram Dijkstra: ob. cit., p. 12 y ss.

real del vampiro literario es un vampirismo sadomasoquista entre los sexos donde el hombre funciona como víctima y como victimario.

En términos de estos esquemas sexuales, *Drácula* viene a romper un poco el molde, no en el sentido de que en la novela no haya una mujer frágil (la hay, es Minna) o una mujer fatal (también la hay, Lucy). Pero en el lado masculino, y esto es lo diferente, no tenemos sólo a un héroe débil (Jonathan Harker), que es lo que se acostumbra, sino también aparece –para opacar a todos los demás con su esplendor siniestro– el vampiro, que es un héroe hiperfuerte. Sólo que está muerto, o debería estarlo, y al final de la novela lo estará. Ese hombre fuerte dominador de mujeres es un cadáver y sólo el vampirismo ha impedido su desaparición. Parafraseando al psicoanálisis, la aparición literaria del vampiro es un ejemplo del retorno de lo reprimido masculino en el fin del siglo XIX, en un tiempo en donde ya no se estila, en donde lo propio es el temor masculino ante el avance de las mujeres, no la agresividad.

La polivalencia sexual del vampiro se da porque representa una sexualidad nocturna, asocial, desligada de la procreación, estéril, o mejor, que se agota en el placer de sus oficiantes. Esta polivalencia está basada en la transgresión de los límites, no sólo entre los sexos, sino entre la vida y la muerte. Hablar de la carga sexual del vampiro es ya un lugar común. Lo que importa destacar es que la suya es una sexualidad tanática, de muerte, terráquea, y en este sentido mucha de su simbología es femenina: la luna, la noche, la tierra, la sangre.

Es importante notar que la sexualidad del vampiro no se confunde con la genitalidad, menos con el coito. Como sexualidad transgresora, nada tiene que ver con la reproducción. Si su mordisco con dientes puntiagudos nos remite a la penetración fálica, también es cierto que su sexualidad es difusa, más extendida, tanto que puede bastar una mirada o incluso un pensamiento telepático para comenzar a actuar.

Si la palabra clave de los positivistas y liberales del siglo XIX fue «progreso», el vampiro significaba la presencia del pasado, la posibilidad de retroceder a lo bestial, a lo natural, de ser tomados por el Mal. El vampiro representa la sexualidad que se niega a la represión, que irrumpe desde las capas más elementales y hondas de la vida desde la propia muerte. Si el Occidente es la razón, como los ideólogos de la época querían, el Oriente es lo turbio, lo femenino, el reino de las diosas y, por tanto, ha de ser domeñado. Si en muchas narraciones los vampiros provienen del Este (Rusia, Europa del Este, Transilvania), no es sólo por origen histórico y folclórico, sino también por coherencia simbólica e ideológica, esto es, el Oeste como futuro y progreso enfrentado al Este como pasado y atraso, como corresponde al siglo liberal, positivista y democrático.

De otras maneras el vampiro representa el pasado. Ya mencionamos cómo se relaciona con el héroe fuerte que para la segunda mitad del XIX estaba en extinción. En este sentido, era el cadáver del hombre fuerte vuelto a la vida. También se vincula en términos de la evolución de la libido –según la hipótesis freudiana–, y así el vampiro tiene que ver con una sexualidad antigua, infantil, y en este sentido su carácter oral lo delata. Muerde, sí, pero ante todo chupa la sangre como un bebé mama la leche.

Si en el campo de la sexualidad infantil podemos ver en la sangre una metáfora de la leche materna, al revisar el de la sexualidad «perversa», y específicamente homosexual, podría comparársela más bien con el semen. Tanto una como otro son fluidos de vida. En su libro ya citado, Dijkstra ha hablado de la sangre como «semen simbólico».[8] La mujer fatal, una forma secular de la vampira, se alimenta del oro y del semen de sus amantes. Un narrador contemporáneo, el cubano Severo Sarduy, en su cuento «Vampiros reflejados en un espejo convexo», ha hecho también tal asociación para una trama homosexual.[9] Francis King, en su libro *Sexo, magia y perversión*, vincula homosexualidad y vampirismo, y afirma: «Estoy convencido de que el vampirismo, tanto en la literatura del siglo XIX como en la fantasía ocultista del siglo XX, es simbólico (a nivel inconsciente) de la sexualidad prohibida en general y del contacto oral-genital en particular.»[10]

King relaciona el vampirismo tanto con la literatura como con el ocultismo, y hace bien, pues este último fue (y es) una de las fuentes importantes de la imagen del vampiro, ya como personaje literario, ya como práctica mágica vinculada a lo sexual. No en balde el propio Stoker estuvo tan interesado en los grupos ocultistas de su época, en especial en la famosa Orden del Amanecer Dorado (Golden Dawn), en la que también militaron otros escritores como W. B. Yeats, Blackwood y Aleister Crowley. Un crítico como Rafael Llopis sugiere (siguiendo en esto a los autores del famoso *best seller* de los años sesentas *El retorno de los brujos*, Pawels y Bergier) que Stoker pudo inspirarse en los jefes secretos de dicha sociedad secreta para

8 Ibídem, pp. 344-347.

9 Cfr. Severo Sarduy: «Vampiros reflejados en un espejo convexo», *Vuelta*, n.º 104, 1984, p. 20.

10 Francis King: *Sexo, magia y perversión*, Felmar, Madrid, 1977, p. 172.

la conformación de Drácula.[11] Tampoco sería raro que Stoker hubiera conocido el famoso libro publicado en 1877, *Isis sin velo*, de Madame Blavatsky, quien ahí dedica varias páginas al fenómeno del vampirismo. Blavatsky se adhiere a lo que será la actitud general en los ámbitos ocultistas finiseculares: más que el vampiro como personaje, interesa el vampirismo como práctica de magia sexual. Se trataría ante todo de vampirismo fluídico. La sangre es la metáfora de la energía psíquica que absorbe el mago o la maga sexual.[12]

Una referencia ejemplar al respecto en esto de vampirismo mágico-sexual está en un tratado alquímico-erótico de Aleister Crowley titulado *De arte mágica*, publicado en 1914, aunque deudor del vampirismo mágico del siglo XIX. Entre los practicantes de dicho arte negro el venenoso Crowley menciona a varias figuras prominentes del medio ocultista y del ámbito literario, como por ejemplo Oscar Wilde. Transcribo dos párrafos:

> El vampiro selecciona la víctima, fuerte y vigorosa, y con la intención mágica de transferir toda su fuerza hacia sí mismo, agota al desprevenido con un uso adecuado del cuerpo, normalmente la boca, sin que el vampiro participe con algún otro sentido en el asunto. Esta práctica, afirman algunos, es de la naturaleza de la Magia Negra.
>
> Los expertos pueden proseguir esta práctica hasta que la víctima esté en el umbral de la muerte, y de esta manera no sólo obtener

[11] Rafael Llopis: *Historia natural de los cuentos de miedo*, Júcar, Madrid, 1974, p. 171.

[12] Cfr. H. P. Blavatsky: *Isis sin velo*, t. 2, Colofón, México, 1997.

> la fuerza física de la víctima sino también esclavizando su alma. Esta alma entonces sirve como espíritu familiar.[13]

El vampirismo en el ocultismo se concibe como una posibilidad real, como una forma de intervención de una persona por otra, a veces sin contacto físico, a distancia, telepáticamente, con absorción de su vitalidad. No es extraño que, en un ambiente en donde aún resonaban los ecos del mesmerismo con su fluido cósmico y omnipresente, se concibieran vampiros fluídicos, que no de sangre, y que como tales sigan existiendo en el folclor ocultista.

En el imaginario romántico el vampiro ocupa un lugar muy especial, quizá sea el rey de la feria de monstruos que la literatura del siglo XIX presenta desde Frankenstein hasta Drácula. A diferencia del hombre artificial de Mary W. Shelley, que a nivel sexual resulta simplemente horroroso, Drácula (a pesar de su fealdad) puede tornarse atractivo porque hipnotiza, seduce, igual que el magnetizador del cuento de Hoffmann, personaje que, aunque no sea vampiro de capa y colmillo, sí lo es en cuanto a sus intenciones con la hermosa sonámbula: absorber su espíritu, asimilar el ser de ella al suyo, de modo que el rompimiento de ese enlace tan íntimo signifique la destrucción de la joven. En fin, una perla más en un collar de misoginia literaria.[14]

El magnetismo de Drácula es de tal naturaleza que a más de un siglo de su creación nos sigue atrayendo. Su sexualidad siniestra, su magia misteriosa, siguen perturbando el imaginario

[13] Aleister Crowley: *De arte mágica*, Humanitas, Barcelona, 1991, pp. 63-64.

[14] Cfr. E. T. A. Hoffmann: *El magnetizador*, Bambú, Barcelona, 2011.

colectivo, sin importar que el escenario sea otro y que en vez de una mansión victoriana o un castillo transilvano tengamos hoy una nave espacial o la baticueva de Batman, vampiro secular del siglo XX, como escenario neogótico. La consolidación literaria del vampiro en el siglo pasado hunde sus raíces en un oscuro *humus* sexual marcado por la lucha de sexos, el feminismo creciente, la proliferación de discursos sobre la erótica y la búsqueda de un sexo artificial, un tercer sexo que aliviara las tensiones que la modernidad introducía en la relación entre hombres y mujeres. *Drácula* es una flor literaria más –una de las más hermosas– en ese jardín de plantas carnívoras que es la literatura de fin de siglo XIX, con flores que no comen moscas sino carne de mujer en trocitos.

Gótico alemán: Ewers y las dualidades peligrosas

Pese a su reconocimiento y éxito mientras estuvo vivo, resulta notable el desvanecimiento posterior en el mapa literario del escritor alemán Hanns Heinz Ewers con su muerte en 1943, aunque ya desde antes su creatividad había menguado, a lo que se vino a agregar como causa de su olvido la tardía participación en el movimiento nazi. Nacido en Düsseldorf en 1871, perteneció a esa variante germana vinculada con la imaginación macabra y el exceso, que se consolidó con el romanticismo y sobre todo con una figura fuerte e influyente como la de E. T. A. Hoffmann, tan presente en la propia obra de Ewers, junto con la de Edgar Allan Poe (sobre quien escribió un ensayo en 1905) y la del francés Villiers de l'Isle Adam, cuya novela *La Eva futura* se proyecta en la más conocida novela de Ewers, *Alraune* (*Mandrágora*).[1] En esta triple influencia sobre Ewers podemos percibir un sello cosmopolita: la propia cultura germánica de la que se siente orgulloso, la francesa y la inglesa. Su francofilia fue notable así como su anglofobia, pese a amar a Shakespeare, a Poe y a Oscar Wilde,

1 Cfr. Hanns Heinz Ewers: *La mandrágora*, Valdemar, Madrid, 1993.

quien le inspiró el cuento llamado «C.3.3.», cuyo título alude a la celda ocupada por Wilde durante su encierro en la cárcel, y a cuya memoria está dedicado.

Tras la Primera Guerra Mundial y la derrota alemana, Ewers abandonó sus posturas cosmopolitas de los primeros años y adoptó, por el contrario, un nacionalismo creciente que terminaría en su apoyo a Hitler, lo que no significó asumir el antisemitismo del régimen, pese a que Ewers siempre se mostró filosemita, defendió su posición por escrito y hasta ayudó a huir a muchos judíos de Alemania. Fue justamente este filosemitismo, así como su propio perfil decadente y perverso, los que generaron rechazo por parte de muchos nazis dentro del partido, al principio apaciguado por el propio Hitler, admirador de Ewers, pero posteriormente causante de su proscripción. En sus últimos años, sus obras fueron prohibidas por los nazis y a él se le prohibió publicar.

Ewers, quien había empezado su carrera artística como actor de teatro de cabaret y, por tanto, cercano a la influencia macabra y sanguinaria del Grand Guignol, alcanzaría su reconocimiento como escritor con colecciones de cuentos como *Das Grauen* (*El horror*), de 1907, y *Die Besessenen* (*Los poseídos*), de 1908, que incluye su relato más famoso, «La araña».[2] También logró fama con una trilogía novelística: *El aprendiz de brujo*, de 1909, *Mandrágora*, de 1911, y *Vampiro*, de 1920, centrada en el personaje de Frank Braun, *alter ego* de Ewers (en algunos de sus cuentos su doble narrativo se llama Jean Olieslagers).[3] De

2 Cfr. Hanns Heinz Ewers: *Strange Tales*, Runa Raven Press, Texas, 2000; «La araña», en Natalia Roa Vial (comp.), *Relatos escalofriantes*, Andrés Bello, Santiago de Chile, 1995.

3 Cfr. Hanns Heinz Ewers: *Vampiro*, Valdemar, Madrid, 2018.

acuerdo con Wilfried Kugel, «las obras de Ewers fueron traducidas a más de veinticinco lenguas al punto de que en la época de la Primera Guerra Mundial era el autor de lengua alemana más traducido».[4] Además, Kugel puntualiza sobre la importancia de los tirajes: «como prueba, el número de ejemplares vendidos de la novela *La mandrágora* sólo en su país sobrepasó ampliamente el millón».[5]

Algunos libros de Ewers fueron traducidos y publicados en el resto de Europa y en Estados Unidos, por lo que no es extraño que un lector de tales materias como H. P. Lovecraft lo conociera y admirara, tal como queda claro en su recuento *El horror en la literatura*:

> En la generación actual, la literatura de horror alemana está representada principalmente por Hanns Heinz Ewers, quien en sus tenebrosas concepciones pone de manifiesto un conocimiento efectivo de la psicología moderna. Novelas como *El aprendiz de brujo* y *Alraune*, y narraciones como «La araña», contienen cualidades que las elevan a un nivel clásico.[6]

Del gótico alemán

He mencionado a Hoffmann como antecesor de Ewers en Alemania en escribir este tipo de historias macabras, pero la tradición local va más allá. Hasta ahora los estudios sobre lo

4 Wilfried Kugel: «Préface», en Hanns Heinz Ewers, *La Suprême Trahison*, Ancrage, Amiens, 1993, p. 20.

5 Ibídem, p. 21.

6 H. P. Lovecraft: *El horror en la literatura*, Alianza, Madrid, 1984, p. 45.

gótico han privilegiado la tradición inglesa, olvidando los antecedentes alemanes. Terry Hale nos recuerda que:

> En Alemania, casi exactamente al mismo tiempo en que la moda por lo gótico alcanzaba su apogeo en Inglaterra, el público lector devoraba una serie de novelas y cuentos que presentaban caballeros, ladrones y fantasmas (dando surgimiento así a un género tripartito generalmente pensado como *Ritter*, *Räuber* y *Schauerroman*).[7]

De estas tres variantes de gran aceptación entre los lectores germanos, la de más éxito fue la *Schauerroman*, la novela de terror. Hale menciona el caso de una novela inacabada de Schiller, *Der Geisterseher* (1789) (*El visionario*), cuya publicación generó otros títulos con el tema de las maquinaciones de las sociedades secretas, algo muy acorde con los tiempos revolucionarios que corrían. Schiller y Goethe son grandes figuras rectoras de la época. Otro autor importante en el género terrorífico fue Hans Christian Spiess, quien representa la antítesis al racionalismo promovido por Schiller y cuya obra fue traducida rápidamente al inglés y al francés.

Ewers refuerza su pertenencia a su propia tradición no sólo por su veneración por el desbordado Hoffmann sino también por su admiración al comedido Schiller. Así, en 1922 publica *El visionario*, novela en la que Ewers «completa» el texto inacabado de Schiller, en un gesto literario que desconcertó a muchos.

[7] Terry Hale: «French and German Gothic: the Beginnings», en Jerrold E. Hogle (ed.), *The Cambridge Companion to Gothic Fiction*, Cambridge University Press, 2002, p. 63.

El propio Lovecraft, en su libro ya mencionado, parece conocer poco del gótico alemán. Aborda el asunto en un breve capítulo de cinco páginas sobre «la literatura preternatural en el continente» (por oposición a la insular de Inglaterra y de más allá, de los Estados Unidos); empieza, claro, con Hoffmann, sigue con el barón de la Motte-Fouqué y con Wilhelm Meinhold, y finaliza con Ewers, una muestra algo disímbola. Lovecraft deja de lado autores como Ludwig Tieck, Achim von Arnim, Joseph von Eichendorff y varios más.[8] Cuando se refiere a Gustav Meyrink lo ubica dentro de la literatura sobrenatural judía,[9] «mantenida y alimentada en la oscuridad por la herencia tenebrosa de la antigua magia oriental, la literatura apocalíptica y la cábala. La mentalidad semita, como la celta y la teutónica, parece poseer marcadas inclinaciones místicas.»[10] Lovecraft y Ewers comparten puntos de vista sobre razas y sobre los peligros de las mezclas y la degeneración, aunque difieren en las posibilidades estéticas de esos cambios. Ewers genera al respecto una estética de la crueldad no exenta

8 Para profundizar en la literatura alemana de terror consúltese la buena antología de Anne y Hugo Richter *L'Allemagne fantastique de Goethe à Meyrink* (André Gérard / Marabout, Verviers, 1973), con trece autores entre los que no se incluye, misteriosamente, a Ewers. Su cuento «La araña» habría quedado muy bien en ella. También podrían haber figurado «La muerte del barón Jesús María von Friedel» o «La muerte de John Hamilton Llewellyn».

9 Si bien la madre de Meyrink fue una actriz judía, su padre fue un aristócrata alemán. Fue bautizado en iglesia protestante y creció y se formó en un medio cristiano. De adulto cultivó el ocultismo con seriedad y durante sus últimos años se declaró budista. Al morir se le enterró en cementerio cristiano. Su judaísmo es sobre todo temático al haber dado vida literaria a la leyenda judía del Golem.

10 H. P. Lovecraft: ob. cit., p. 48.

de ironía, afín a la de su amado Villiers de l'Isle Adam y sus *Contes cruels*, y a su frecuentado Marqués de Sade.

Expresionismo y androginia

La estética resultante de este cruce en Ewers tiene mucho de lo que se llamó «expresionismo alemán», donde el Sueño debe imponerse sobre la Realidad, con lo que las cosas no aparecen reproducidas objetivamente sino por medio de la subjetividad del artista, lo que genera una distorsión más significativa que la propia mímesis. Para lograr su objetivo e incrementar la creatividad, el artista puede hacer uso tanto del viaje cosmopolita como del ocultismo y las drogas. Sobre las drogas Ewers escribió el ensayo «Intoxicación y arte» (también en el ensayo sobre Poe, dedicado a Meyrink, se aborda el tema y, de hecho, es uno de los puntos clave en su valoración del poeta estadounidense).[11] De igual forma, otros escritores contemporáneos suyos se interesaron en el tema: Gustav Meyrink escribió el suyo sobre el hachís; Aleister Crowley (el mago y escritor inglés al que Ewers conoció en Estados Unidos en el periodo de la Primera Guerra Mundial) escribió lo propio, incluida su novela *Diary of a Drug Fiend* (1922).[12]

Ambos, Crowley y Ewers, estuvieron vinculados con el espionaje y la propaganda alemana que buscaba que América

11 En dicho ensayo escribe Ewers: «El hecho es nada. El pensamiento es todo. La realidad es fea y no se justifica que exista. El sueño siempre es hermoso y es verdadero porque es bello. Es la razón por la que creo que los sueños son la única verdadera realidad.» («Intoxication and Art», *Hanns Heinz Ewers. Volume I*, translated by Joe E. Bandel, Joe Bandel's Book Store, 2009, p. 239)

12 Cfr. Aleister Crowley: *Diary of a Drug Fiend*, Red Wheel / Weiser, Massachusetts, 2010.

no se involucrara en la guerra europea. Es en este contexto que se habría dado el encuentro entre Ewers y el revolucionario Pancho Villa, en un intento de la inteligencia alemana de que Villa creara problemas a los Estados Unidos en la frontera y así no se involucrara con lo que pasaba en Europa. Algo de esto aparece narrado en su última novela de la trilogía de Frank Braun, *Vampiro*. De esta supuesta visita al norte de México queda también el cuento «Los indios azules», en cuya trama la ingestión de peyote permite la posibilidad de recuperar la memoria racial.[13]

Otro aspecto de la creación artística en Ewers tiene que ver con la condición andrógina del ser humano que, al ser reconocida como fuente de visión, se vuelve recomendable. Según Flowers: «La psique es para Ewers una entidad andrógina y, por tanto, para ser capaz de crear en un sentido real, el artista debe también volverse andrógino. Las partes masculina y femenina deben fundirse para engendrar una obra en el mundo. Este es el proceso de creación artística.»[14] Ewers, por su parte, dice en su cuento llamado «La muerte del barón Jesús María von Friedel», quizá el texto más representativo sobre estos tópicos sexuales de androginia:

> Deseo afirmar que la psique de cualquier individuo no es de un solo sexo sino que contiene tanto aspectos masculinos como femeninos. Podemos honrar nuestra masculinidad pero esto no

[13] Cfr. Hanns Heinz Ewers: «The Blue Indians», *Hanns Heinz Ewers. Volume I*, translated by Joe E. Bandel, Joe Bandel's Book Store, 2009, pp. 153-175.

[14] Stephen E. Flowers: «Introduction», en Hanns Heinz Ewers, *Strange Tales*, Runa Raven Press, Texas, 2000, p. 21.

> impide que lo femenino en nosotros irrumpa de vez en cuando, gracias a Dios. Es una gran falla cuando esto no pasa [...] En un cuerpo muy masculino hay una psique con sentimientos sexuales puramente masculinos. Uso la palabra psique de forma rápida para establecer mi posición. También hay dentro del mismo cuerpo una psique femenina que percibe y siente de una forma sexualmente femenina. En general, estos sentimientos y percepciones femeninos no son lo bastante fuertes como para superar todas las inhibiciones contrarias a su expresión.[15]

Ewers estaba al tanto de la discusión sexual de la época y en ella asumió una postura militante y progresista junto a notables figuras del momento como la del médico sexólogo Magnus Hirschfeld, fundador del Comité Científico-Humanitario, la primera organización de defensa de los homosexuales. Juntos publicarían los tres volúmenes de *Liebe Im Orient. Das Kamasutram Des Vatsyayana* (1929), con introducción de Ewers.[16] Se trata de traducciones de manuales eróticos hindúes y árabes, para así inspirar más arte en la práctica del sexo. Por ese mismo tiempo Ewers publicó su novela *Fundvogel* (1928), sobre la transexualidad que la nueva técnica quirúrgica y hormonal hacía posible.[17] Por supuesto, todas estas inquietudes sexuales influirían nega-

15 Hanns Heinz Ewers: «The Death of Baron Jesus Maria von Friedel», *Hanns Heinz Ewers. Volume I*, translated by Joe E. Bandel, Joe Bandel's Book Store, 2009, pp. 99-100.

16 *Liebe im Orient. Das Kamasutram des Vatsyayana*, Schneider & Co., Leipzig, 1929.

17 Hanns Heinz Ewers: *Fundvogel. Die Geschichte einer Wandlung*, Sieben Stäbe, Berlin, 1928.

tivamente en la opinión respecto a Ewers por parte de sus futuros colegas puritanos del partido nazi. Tras un breve y obligado romance entre Ewers y el nazismo, este aspecto de su conducta sexual se sacó a colación, y apenas logró salvarse por un compasivo aviso previo durante la famosa «Noche de los Cuchillos Largos».

Ewers, Meyrink y el cine

Ewers compartió en el escenario de habla alemana sus años de gloria con otro autor de lo fantástico y gótico, Gustav Meyrink, que también obtuvo gran reconocimiento, en especial con su citada novela *El Golem* (1915). Aunque cercanos por sus intereses hacia el ocultismo floreciente, lo fantástico, lo gótico y las drogas en tanto medio para incrementar la creatividad y acceder a otras dimensiones del mundo, se separan en que Meyrink termina volviéndose un adepto esotérico mientras Ewers mantiene su distancia escéptica. Meyrink es místico y ascético, Ewers, erótico y mundano, se desliza hacia la sangre y la perversión. Ambos autores alentarían con sus historias al naciente cine alemán. Ewers incluso escribió una historia que fue el primer eslabón de una cadena de películas del llamado expresionismo alemán: *El estudiante de Praga*, de 1913, con guion de Ewers y el actor Paul Wegener, el mismo que interpretaría en el cine al Golem de Meyrink. A juicio de Davenport-Hines, en esta película:

> Los dos hombres juntaron los cuentos de Hoffmann, el mito de Fausto y la historia del *Doppelgänger* de Poe, «William Wilson», para elaborar un guión sobre un estudiante pobre llamado Baldwin. Baldwin se arruina a sí mismo al firmar

> un contrato con el brujo Scapinelli, quien le promete un rico matrimonio a cambio de recibir el regalo del reflejo en el espejo del estudiante.[18]

A las referencias que menciona Davenport-Hines habría que agregar los influjos del Adelbert von Chamisso de *La maravillosa historia de Peter Schlemihl* (1814) y el Wilde de *El retrato de Dorian Gray* (1890). Tanto la historia de *El Golem*, de Meyrink, como la de *El estudiante de Praga*, de Ewers, debido a su éxito, volverían a filmarse en 1920 y 1926, respectivamente. También *Mandrágora* se adaptaría al cine en varias ocasiones. Como puede apreciarse, Ewers tiene gran importancia no sólo para la literatura, sino también en la historia del cine alemán. Como afirma Flowers:

> Los años 1913-1914 fueron muy activos para las labores de cine de Ewers. En conexión con *Deutsche Bioscop*, Ewers colaboró al menos en once filmes, proveyendo los guiones e incluso dirigiendo varios de ellos. Sus principales colaboradores en estos tempranos filmes fueron el actor Paul Wegener, el director danés Stellan Rye y el camarógrafo Guido Seeber.[19]

Esta es la época de oro de Ewers, las dos primeras décadas del siglo XX, las de sus mejores libros y las de su relación con el cine. Con el estallido de la guerra vendrá su deslizamiento hacia un nacionalismo creciente en la década de los veinte que, lejos de

[18] Richard Davenport-Hines: *Gothic. Four Hundred Years of Excess, Horror, Evil and Ruin*, North Point Press / Farrar, Straus and Giroux, Nueva York, 1998, p. 328.

[19] Stephen E. Flowers: ob. cit., p. 10.

mejorarlo, le quitó brillo literario a su producción del momento. Esta es una época donde la reputación de Ewers sobrevive más bien de sus pasadas glorias. Cuando a principios de los treinta se afilia al partido nazi la gran literatura por la que se había vuelto famoso ya es cosa del pasado. Sigue escribiendo pero ya no brilla, y al final de sus días ni siquiera escribir le permitirán sus colegas nazis.

No obstante la cercanía temática, anímica y de éxito entre Ewers y Meyrink, sus modelos narrativos son diferentes. Como bien lo ha señalado Jean-Jacques Pollet, Ewers (igual que Alfred Kubin, su contemporáneo) cultiva la «novela demiúrgica», en la que el héroe se arroga el derecho de jugar al Creador.[20] La originalidad de su invención obedece al objetivo de llegar hasta el final, de experimentar hasta el límite el esteticismo, probar hasta dónde lo espiritual puede modelar y doblegar a lo real, hasta dónde el arte puede afirmar su supremacía sobre la vida. Esta actitud se observa sobre todo en las dos primeras novelas de la trilogía: Frank Braun impone sus sueños sobre la realidad y provoca el delirio religioso y fanático en el aislado pueblo montañés de *El aprendiz de brujo*, o la maldad destructora de la hermosa joven de *Mandrágora*.

Como si la Primera Guerra Mundial aplastara tales pretensiones demiúrgicas heredadas del héroe romántico, este modelo novelesco pronto fue sustituido en el territorio de lo fantástico. A juicio de Pollet, sobrevino entonces «la novela de las fatalidades», la de Gustav Meyrink y Leo Perutz, en la que:

[20] Cfr. Jean-Jacques Pollet: «Les fatalités ordinaries de Leo Perutz», *La littérature fantastique. Colloque de Cerisy*, Éditions Albin Michel, Paris, 1991.

> Lo fantástico ya no está más en lo que realiza el héroe sino en lo que se cumple sin él o a pesar de él. El curso de las cosas, parecen decirnos, escapa a las leyes de la causalidad sin por ello dejar espacio al azar: responde a finalidades secretas, obedece a una lógica de un orden distinto de la razón, codificada por las supersticiones, las leyendas, las maldiciones.[21]

Mientras que el héroe de Ewers transforma el mundo, aunque para ello tenga que hacerlo sangrar para leer en sus entrañas como un antiguo augur, el de Meyrink parece limitarse a contemplar el cambio, a descifrar el milagro, a atisbar la iluminación entre sus signos.

Dualidades peligrosas

La presencia de diversas dualidades en el universo imaginario de Ewers –eros y *thánatos*, sueño y realidad, masculino y femenino, yo y otro, civilización y barbarie– no debe hacernos olvidar que su apuesta literaria no va dirigida tanto a privilegiar uno de sus extremos, sino más bien a lograr una síntesis entre los polos opuestos, una suerte de reconciliación creadora entre ellos. Quizá sea en el ámbito psicológico y sexual donde dichas oposiciones adquieren mayor visibilidad.

El caso más evidente de la representación de estas dicotomías es el de *El estudiante de Praga*, tanto en el análisis del guion como en el de las películas. La historia sigue siendo la misma aunque algunas de las secuencias se alargan, sobre todo las colectivas de la taberna y, ya en la segunda parte, la de la crisis psíquica del protagonista –Badwin– quien, tras haber

[21] Ibídem, p. 158.

entregado su reflejo en el espejo a un brujo mefistofélico -Scapinelli- para obtener riqueza y amor, se encuentra asediado por su doble, que ha logrado autonomía y lo acosa por medio de inesperadas apariciones y de acciones perjudiciales (por ejemplo, el reflejo mata en un duelo al rival amoroso, tras Badwin haberse comprometido a no hacerlo, lo que le acarrea el desprestigio social, el rechazo de la amada y la expulsión de la universidad). Aquí el conflicto juega sobre lo psicológico en un contexto sobrenatural. Se está entre la locura y la magia, entre la psicosis y la maldición. Mientras que la primera versión de 1913 hace uso de decorados realistas, en la segunda de 1926 aparecen algunas escenografías más típicas del cine expresionista y un uso de la fotografía con sombras y luces muy contrastadas. Llama también la atención el cambio de actor: se pasa del corpulento y rígido Paul Wegener (el de *El Golem*) al delgado y expresivo Conrad Veidt de grandes ojos alucinados, por entonces ya famoso por haber interpretado al sonámbulo asesino de *El gabinete del Dr. Caligari*.

En *El estudiante de Praga* la dualidad psicológica se mantiene dentro de un solo sexo, el masculino. Sin embargo, en el texto antes mencionado, «La muerte del barón Jesús María von Friedel» (1908), el conflicto se establece entre las partes femenina y masculina del sujeto (ya citamos la propuesta de Ewers sobre la calidad andrógina de la psique humana). La *nouvelle* maneja desde referencias clásicas al inicio (Hermafrodito de Ovidio y el andrógino de Platón), hasta las modernas teorías sexuales de Hirschfeld también ya señaladas antes. El personaje principal, Jesús María, afirma su identidad masculina, si bien reconoce aspectos femeninos en él que, sin embargo, no lo llevan a la homosexualidad directa, aunque sí al travestismo (en tanto travesti se acuesta con mujeres lesbianas). Esta androginia con dominio masculino está anunciada desde su nombre compuesto. Tras su supuesto suicidio se encuentra un largo manuscrito hecho a dos manos (con caligrafías distintas) entre la parte masculina, que va siendo cada vez más menguada a lo largo del texto, y la femenina, cuyo poder va creciendo más y más. El fenómeno es concebido por el barón en términos de posesión y expulsión del propio cuerpo en una lucha encarnizada entre ambas facetas, cuya tensión psicológica recuerda mucho a *El Horla* de Maupassant, que también es un texto de invasión interior.[22]

El proceso de desgarramiento psíquico resulta inequitativo para la parte masculina que no recuerda lo que pasa cuando funciona como mujer, mientras que la parte femenina sí recuerda lo que ocurre cuando el cuerpo está actuando con identidad masculina. Esto le concede una ventaja creciente que anuncia el total dominio femenino, algo que es evitado sólo si se mata a la otra parte. Así, lo que socialmente aparece como un suicidio, en la dinámica psicológica del texto se trata más bien de un homicidio. ¿Quién mató a quién? Es la pregunta que queda en el aire, aunque lo más probable es que fuera él el asesino, pues era quien iba perdiendo la batalla.

La telaraña

En la literatura de Ewers lo femenino siempre es más fuerte (y destructor) que lo masculino, por lo que en muchos de sus relatos está vigente el arquetipo de la mujer fatal, devoradora de hombres. Esto queda de forma todavía más clara en el

[22] Cfr. Guy de Maupassant: *El Horla*, Puerto Norte Sur, Madrid, 2008.

cuento «La araña», publicado en la misma colección (*Los poseídos*) donde apareció «La muerte del barón Jesús María von Friedel». En él encontramos también la influencia de Maupassant: estructura de diario como en *El Horla*, que permite seguir en primera persona la desintegración psíquica del personaje; la mujer de «La araña» se llama Clarimonde, igual que la vampira del cuento de Maupassant «La muerta enamorada». En principio, en «La araña», lo masculino y lo femenino están separados en términos de personajes distintos. No hay contacto directo entre ellos, sino que el hombre queda seducido por una mujer a la que observa a través del cristal de la ventana. La ventana funciona como elemento desdoblador, igual que el espejo de *El estudiante de Praga*. Empieza así un juego de seducción entre uno y otra, desde sus lugares respectivos, aparentemente igualitario, hasta que el hombre se da cuenta de su equivocación. En una de las entradas del diario, hacia el final del texto, escribe: «Acabo de hacer un descubrimiento. Yo no juego con Clarimonde. Es ella quien juega conmigo.»[23] Más adelante agrega: «¡Yo, que me sentía tan orgulloso de poder transmitirle mis pensamientos, estoy, por el contrario, bajo su influencia! Sí, es cierto, ¡pero esta influencia es tan ligera, tan voluptuosa!»[24] La confusión psíquica se acrecentará:

> Me parecía que no era yo quien actuaba; era como si observase a un extraño. Pero no, me equivoco, era yo quien actuaba y era un extraño el que me observaba, precisamente el mismo extraño

[23] Hanns Heinz Ewers: «La araña», p. 180.
[24] Ibídem, p. 181.

que hace un momento estaba tan seguro de sí mismo y de hacer el gran descubrimiento. De todos modos no era yo.[25]

El resultado es parecido al de «La muerte del barón Jesús María von Friedel»: lo que socialmente aparece como un suicidio masculino se insinúa en el texto como resultado de un homicidio cometido por la mujer que sólo el difunto ha visto, pues al final se anuncia, de manera sorpresiva, que la casa que él observa desde su cuarto está deshabitada desde meses atrás.

Androginia venenosa de Alraune

En *Mandrágora*, la novela más famosa de Ewers, llevada al cine en varias ocasiones, también se presenta este elemento andrógino en el personaje central: esa hermosa y seductora mujer nacida del cruce por fecundación artificial entre un asesino al que ejecutan en el cadalso y la prostituta más descarada de Berlín, en una suerte de experimento científico de manipulación genética y sexual, en que se manifiesta la voluntad demiúrgica del personaje Frank Braun y de su tío Jacob (de esos que también practicaron los nazis en busca de mejorar la raza). Este tópico de ingeniería genética y sexual se aprecia también en el cuento de 1910 «Anthropoovaruspartus», en que se aborda el mismo asunto con ironía.[26] En *Mandrágora* se le da al tema forma de novela y se mezcla con lo mágico y lo erótico: la leyenda de la mandrágora, esa planta de raíces con forma humanoide que ha despertado la imagi-

[25] Ibídem, p. 182.

[26] Hanns Einz Ewers: «Anthropoovaruspartus», *Tannhäuser crucifié*, Éditions Sillage, Paris, 2006, pp. 97-108.

nación mágica desde siglos atrás pues acarrea a su poseedor riqueza y salud. Su origen llama la atención:

> La leyenda alemana de la mandrágora se desarrolló a principios de la Edad Media, a raíz de las Cruzadas. El criminal, ejecutado en completa desnudez en una encrucijada, pierde su último semen en el momento de quebrársele la cerviz. Este semen se vierte sobre la tierra y la fecunda, y de él procede la mandrágora: un hombrecillo o una mujercilla.[27]

La planta debe ser sacada de la tierra a la medianoche y hay que taparse los oídos con lana o con cera (cual compañero de Ulises para no oír el canto de la sirena), pues la raíz grita tan horriblemente que quien la arranca cae derribado a tierra por el espanto. No obstante estos problemas de origen, una vez obtenida la raíz y bien resguardada en casa, brinda beneficios materiales, lo mismo que pasará con nuestro personaje femenino, quien surge del semen de un ejecutado y de una telúrica prostituta que no rechaza a nadie. Nace a medianoche y profiere «un grito extraordinario, tan violento y tan agudo, que ni los médicos, ni la partera que asistía, recordaban haber oído nunca nada semejante en un recién nacido».[28] Después de este grito no vuelve a llorar, excepto a la hora de ser bautizada.

Su llegada genera grandes riquezas al tío (negocios, lotería, hallazgos mineros, hasta descubrimientos arqueológicos), muchas de ellas provenientes del suelo, de la tierra. La niña crece y se vuelve irresistiblemente hermosa, y todos los que

27 Hanns Heinz Ewers: *La mandrágora*, p. 36.

28 Ibídem, p. 94.

la cortejan acaban mal. Los animales del gran jardín de la casa la rehúyen, igual que los campesinos, pero los hombres (y algunas mujeres) quedan presos de su encanto. Si hubiera vivido siglos atrás, seguramente la habrían quemado por bruja, dice el narrador.

La joven funciona así como tremenda *femme fatale*, pero en diversas ocasiones se la describe de forma andrógina, como doncella y efebo a la vez. Incluso llega a cortarse su cabello y a vestir de hombre para acrecentar así sus encantos, sobre todo con el tío Jacob, que cede a la pulsión incestuosa con ella vestida de muchacho. En algún punto de la trama ella asiste a un gran baile con su enamorado, el hermoso joven Gontram. Visten como los personajes de la novela de Gautier, *Mademoiselle de Maupin*, ella de hombre, él como mujer, con un gran éxito en la reunión. Se hacen claras referencias a dicha novela, a Shakespeare con su comedia *As you like it*, también de travestimentos, así como a la ilustración que Beardsley, el dibujante decadente, hizo del personaje travesti de Gautier. Incluso al final de la historia, tras la muerte de la joven, su cuerpo esbelto y desnudo es descrito como el de un efebo.

Sólo Frank Braun, conocedor del origen siniestro de la muchacha, de su secreto, resulta en algún grado inmune al veneno de la mujer, pues, aunque cae en sus redes sexuales, no por ello se enamora, como sí le ocurre a ella, como un preludio a su propia destrucción, vaticinada en la trama por la destrucción que Frank Braun hace de la raíz de mandrágora guardada en la mansión. A diferencia de otras historias de Ewers, en esta lucha sobrevive el principio masculino. Por sus poderes, ella es comparada con Melusina y con Medusa, y, como esta última, será vencida por Frank Braun, el blondo héroe perseico.

Son muchos los asuntos que podrían abordarse de la narrativa gótica, fantástica y macabra de Ewers, tal es su riqueza temática e histórica. Aquí me he limitado a unos pocos, dando al mismo tiempo algunos elementos sobre el autor y su contexto cultural, algo necesario debido a su relativo desconocimiento, sobre todo en el mundo hispánico, no así en el francés, que ha guardado un poco más la memoria del autor en tiempos de olvido, incluso más que los propios alemanes, quizás correspondiendo así al gusto que Ewers profesó en vida por la cultura francesa. También ha surgido en los últimos años cierto interés por Ewers en el mundo anglófono. En español seguimos limitados a su novela *La mandrágora* y a sus cuentos archiconocidos, pero poco o nada más. Ya es hora de que esto cambie, empezando por el mundo de la crítica literaria.

Vetala o los cuentos de un vampiro hindú

Es un dato llamativo que uno de los primeros traductores al inglés de la colección de cuentos de *Las mil y una noches*, el capitán Sir Richard Burton, notable geógrafo, lingüista, viajero y orientalista del siglo XIX, sea también uno de los primeros traductores a su lengua de otra celebrada colección de cuentos indios, ya no arábigos, titulada *Las veinticinco historias del Vetala* (*Vetalapanchavimshatika*), puestos por escrito en distintas versiones en lengua sánscrita no antes del siglo XI, pero que, según Françoise Robin, en forma oral ya circulaban desde el siglo III.[1] Las distintas versiones sánscritas pronto se tradujeron y se adaptaron a muchas de las lenguas indias y de más allá, como al tibetano y al mongol. No obstante, Burton no tradujo el *Vetala* –en la versión de Shivadasa– directamente desde el sánscrito (o, en todo caso, de alguna otra versión en esa lengua como la de Somadeva), sino que trasladó los cuentos del hindi, idioma al cual había sido a su vez traducida la colección sánscrita a principios del XIX por Lallu Lal, líder de la

1 Cfr. Françoise Robin: «Avant-propos», *Les Contes facétieux du cadavre*, Langues & Mondes-L'Asiathèque, Paris, 2005.

renovación literaria del hindi moderno. Todo esto habla de un creciente y permanente prestigio de dicha colección a lo largo de los siglos en términos de oralidad, escritura, traducción y lectores en Asia, proceso que en el siglo XIX alcanzó a la Europa imperialista y orientalista con la versión del tamil al inglés que hizo Babington en 1831, y a la que siguieron otras, incluida la de Burton en 1870 bajo el título *Vikram and the Vampire or Tales of Hindu Devilry.*[2]

Con este nuevo título que alude a sus dos principales personajes y que es rematado con referencias de exotismo y misterio, dicha colección comenzó a circular más allá de los círculos estrictamente académicos, pues Burton le dio cierto giro literario y, para empezar, no tradujo la colección completa de veinticinco sino apenas once relatos «con la idea de que la traducción sería más interesante en forma abreviada»,[3] según aclara su esposa y prologuista Isabel, añadiendo que la versión de su esposo «no contiene una sola página aburrida y complacerá sobre todo a quienes gustan de lo fantástico y lo sobrenatural, lo grotesco y la vida salvaje».[4] Hubo así una criba de textos selectos a los que la traducción libre al inglés (antes bien, podría decirse, recreación o reescritura, atendiendo a los tópicos literarios de orientalismo y exotismo tan en boga) sumó unas cuantas páginas más que alargaron la lon-

2 Cfr. Richard F. Burton: *Vikram and the Vampire*, Kama Shastra Society of London-Benares, 1870. (Esta primera edición circuló sólo de manera privada).

3 Isabel Burton: «Prólogo», en Richard F. Burton, *El rey Vikram y el Vampiro. Cuentos clásicos hindúes de aventuras, magia y amor*, José J. de Olañeta Editor, Barcelona, 1997, p. 9.

4 Ídem.

gitud siempre breve de estas narraciones. Burton, traductor y recreador, aclara al final de su propio prólogo que «me he atrevido a remediar la concisión de su lenguaje y a aportar carne y sangre al esqueleto».[5] A mi juicio, a veces al traductor se le va la mano, y un texto se expande sobre todo por arrebatos descriptivos dirigidos en especial al consumo occidental, por lo que, además de carne y sangre para el esqueleto textual, le agrega grasa, mucha grasa, tornándolo a ratos un texto obeso. Respeta la trama pero abusa en la descripción.

En su ensayo «Los traductores de las *1001 noches*», Borges revisa el trabajo de Burton con detalle, admiración e ironía. En algún momento se refiere a su voluminosa obra de 72 tomos y enlista varios títulos llamativos y cosmopolitas suyos, entre los que sin embargo no menciona su traducción del *Vetala* que, para un lector de literatura fantástica de este calibre, no podía pasar inadvertido con su llamativo título, por lo que deduzco tentativamente que no supo de la colección, lo que es una lástima, pues seguramente habría tenido algo valioso que comentar, como lo hizo con otras obras literarias asiáticas.[6] Además, Borges incluye a Burton en su *Antología de la literatura fantástica* con un breve texto y menciona sus traducciones de *Las mil y una noches* y de *Los Lusiadas* de Camões, sin mencionar para nada al *Vetala*, que tendría en tal antología un lugar privilegiado.[7] En *El libro de los seres imaginarios*, Borges

5 Richard F. Burton: *El rey Vikram y el Vampiro. Cuentos clásicos hindúes de aventuras, magia y amor*, ob. cit.

6 Cfr. Jorge Luis Borges: «Los traductores de las *1001 noches*», *Obras completas*, t.1, Emecé, Buenos Aires, 1974, pp. 397-413.

7 Jorge Luis Borges, Adolfo Bioy Casares y Silvina Ocampo: *Antología de la literatura fantástica*, Sudamericana, Buenos Aires, 1977, p. 65.

tampoco incluye al vetala en su zoología fantástica, algo que habría encajado muy bien con la intención del libro.[8] Alguien podría aducir que tampoco incluyó al vampiro, y que no por eso lo desconocía, y ese alguien tendría razón. ¿Tal vez una fobia borgeana al popular y exitoso vampiro se extendió a su primo asiático? ¿Vetalas y vampiros no le resultarían demasiado corporales al ascético Borges, casto errante entre laberintos y arquetipos?

¿Qué es un vetala?

Con Burton comenzó en Occidente esta asimilación del vetala de la mitología india al vampiro occidental, tan en boga en el siglo XIX cuando se tradujo el texto, que si bien llegó a su esplendor literario con el *Drácula* de Bram Stoker en 1898, ya tenía varias décadas de andar sobrevolando la narrativa gótica y romántica. No obstante, el vetala en su contexto hindú no es un ente chupasangre, sino una clase de ser siniestro asociado a un cadáver que, por un procedimiento mágico o por posesión directa, es vuelto a la vida y dotado de movimiento. Louis Renou, el traductor del sánscrito al francés del *Vetala* como *Cuentos del Vampiro* (1963) –de donde pasó al español por primera vez en 1980–, aclara sobre esta incorrecta asimilación entre ambas figuras tenebrosas:

> La traducción de *vetala* por *vampiro* es inexacta, pero la conservamos porque ya está consagrada. En el folclor de Occidente, el vampiro es un ser que morando entre los cadáveres chupa

[8] Cfr. Jorge Luis Borges: *El libro de los seres imaginarios*, Destino, Barcelona, 2007.

> la sangre de los vivos a fin de reanimar su fuerza vital. En la India, se trata en cambio de una especie de fantasma alojado en un cadáver; pero no es un ser que chupe sangre y ni siquiera es necesariamente cruel; es malicioso, capaz de engañar a los hombres cambiando de forma, pero también puede ser servicial, como puede observarse en nuestra colección, en la que en última instancia dará un consejo precioso al rey cuyo valor admira [...]. Los vetalas aparecen en la literatura desde el *Harivamsha*; forman luego parte de la decoración semidemoníaca del tantrismo shivaíta, de donde pasaron al tantrismo búdico.[9]

Estudiosos posteriores del tantrismo (tanto hindú como budista) han preferido traducir el término *vetala* por *zombi*, tal como lo señala David G. White:

> Aunque ha sido una convención académica traducir el sánscrito *vetala* por *vampiro*, desde las más tempranas ediciones occidentales de los VP (*Vetalapanchavimsati*), *zombi* constituye una traducción más justa del término, debido a que el narrador de las historias es un espíritu que ha revivido el cuerpo de un muerto.[10]

Martin Boord, por su parte, sigue esta línea de asociar el término a zombi:

> El término *vetala* (*zombi*, cuerpo animado por ritos de magia negra) quizá fue acuñado por los budistas para estas criaturas

[9] Louis Renou: «Prólogo», en Anónimo, *Cuentos del vampiro*, Paidós, México, 1999, p. 14.

[10] David Gordon White: *Sinister Yogis*, The University of Chicago Press, 2009, p. 255.

> que hicieron su primera aparición en la literatura india [...] ellas están ubicadas en el entorno de Shiva por los shivaítas de Cachemira. En el primer capítulo del *Vimalaprabha* se describen como desnudas y demacradas, sosteniendo cuchillos curvos (*kartika*) y copas de cráneo en sus manos y pronunciando temibles aullidos de *¡phat!* El fuego surge de sus bocas y se dice que son crueles comedoras de carne humana.[11]

Por su parte, Keith Dowman, en su libro sobre los ochenta y cuatro *mahasiddhas* o grandes maestros antiguos del budismo tibetano con poderes sobrenaturales (*siddhis*), traduce *vetala* por *ghoul*, que, según el *Diccionario de Cambridge*, son espíritus malignos que consumen cadáveres. Dice Dowman: «Ghouls (*vetala*, T. *ro langs*) deben entenderse como cadáveres reanimados por el espíritu proyectado de un maestro (o maestra) en ese *siddhi*, pero espíritus menores o demonios pueden animar un cadáver de la misma manera.»[12]

Más allá de la elección hecha para traducir *vetala* (vampiro, zombi o espectro caníbal), llama la atención en estas citas que el concepto clave para entender el término –como queda más claro en la definición de Dowman– está en la reanimación de un cadáver, ya por obra de uno de esos seres demoníacos de la corte de Shiva, o por un yogui capacitado que, gracias a su práctica ascética, desarrolla el poder extraordinario (*siddhi*) para hacerlo, por razones que luego veremos. Por lo

[11] Martin Boord: *The Cult of the Deity Vajrakīla: According to the Texts of the Northern Treasures Tradition of Tibet (Byang Gter Phur Ba)*, Institute of Buddhist Studies, Berkeley, 1993, pp. 41-42.

[12] Keith Dowman (ed.): *Masters of Mahamudra*, State University of New York Press, 1985, p. 410.

tanto, vetala implica tanto un tipo de ser extraordinario, más que maligno, malicioso, o bien, un poder fruto de la práctica yogui (*vetalasiddhi*).

En cuanto a la primera opción, Mogg Morgan señala que, desde el contexto hindú, un vetala es una clase especial de demonio (en sentido amplio, no cristiano, de la palabra) que, con la ambigüedad propia de muchas figuras del panteón hindú, es externamente atemorizante pero que, de hecho, resulta en muchas ocasiones benévolo para los humanos.[13] Así se comprueba al final de la colección de cuentos donde la intervención del vetala no sólo permite al rey Vikram vencer al yogui siniestro que piensa destruirlo, sino también alcanzar una condición de bienestar físico, político y espiritual. Lo mismo ocurre en la historia del *mahasiddha* Kantalipa contada por Dowman, a quien un vetala femenino, la Dakini Vetali, le otorga una técnica de meditación por la que el yogui se da cuenta de la vacuidad de todos los elementos de la existencia, al tiempo que desarrolla una gran compasión por todos los seres; en otras palabras, se ilumina. Dowman puntualiza: «Vetali fue originalmente una diosa comedora de carne y bebedora de sangre, ama de demonios necrófagos o cadáveres animados. En su alguna vez popular templo en Bhubaneswar, Orissa, los *kapalikas* la veneraron como Kapalini. El templo está ahora abandonado.»[14]

De hecho, vetalas femeninos aparecen en los mándalas de algunas deidades célebres del panteón budista tibetano, como Yamantaka, Hevajra o Vajrakilaya, siendo vistas como

[13] Cfr. Mogg Morgan: «Tales of Hindu Devilry: The Vikram Vetala», *Ashé! Journal of Experimental Spirituality*, n.º 4, vol. 2, 2005, pp. 297-307.

[14] Keith Dowman (ed.): ob. cit., p. 326.

poderosas y fieras *dakinis* de sabiduría. En su libro *Oracles and Demons of Tibet*, René de Nebesky menciona a algunas *vetali* como consortes de Mahakala. Si en el tantra hindú se asociaban a los vetalas con el cortejo de Shiva, no es raro que su equivalente búdico, Mahakala, tenga como pareja sexual a una *vetali*.

El carácter demónico del vetala se extiende incluso a la lengua en que, en el origen, fueron contadas las historias de nuestra colección, según apunta Morgan:

> Es interesante que el texto original perdido del que se dice salieron estos cuentos fue escrito en el lenguaje de los demonios, llamado *paishachi* por los gramáticos [...] *Paishachi* justo puede significar «dialecto rudo», popular y es, de acuerdo con algunas autoridades, un dialecto relacionado con la lengua gitana. Hay alguna evidencia lingüística convincente de que los gitanos emigraron del norte de la India, aproximadamente en el siglo tercero antes de la era común. De cualquier forma que uno lo vea, *paishachi* es un lenguaje «demoníaco» perdido, que sólo sobrevive en historias como las de *Vikram y Vetala*.[15]

Los demonios mencionados por Morgan, los *pishachas*, que estarían en el origen lingüístico de nuestros cuentos, son apenas una categoría dentro de una taxonomía más amplia de seres, más que sobrenaturales, de otra naturaleza, invisibles al ojo humano común: los *devas* o dioses; los *asuras* o titanes; los *gandharvas* (según Renou: una especie de genios aéreos, amantes de las ninfas celestes o apsaras, que son músicos y

[15] Mogg Morgan: ob. cit., pp. 299-300.

cantores); los *yakshas*, o antiguos espíritus de la naturaleza; los *pitris* o fantasmas de los ancestros; los *nagas*, o espíritus serpentinos; los feroces *rakshasas*. Los vetalas pertenecerían al orden de los *pishachas* y la posesión de un cuerpo humano vivo por uno de ellos, no de un cadáver, estaría asociado en la antigua medicina ayurvédica con la depresión y la melancolía, estados que, debidamente canalizados, pueden llevar a la liberación (o a la creación artística, en nuestra tradición occidental). El vetala puede, entonces, entrar tanto en cuerpos vivos como muertos para causar, en los primeros, enfermedad melancólica y, en los segundos, reanimación con propósitos diversos, generalmente de tipo mágico.

Vetala y budismo tántrico

Los estudiosos señalan el trasfondo tántrico del libro en términos religiosos, que recoge una cierta Edad de Oro de la India de los primeros seis o siete siglos de nuestra era, con la dinastía Gupta como referente histórico, emblema de la cual sería el rey Vikram. Tales referentes históricos son sobrepasados cuando se genera un valor simbólico más amplio, como ocurre con el rey Arturo en la mitología occidental, con quien, por cierto, Burton compara al Vikram hindú. Hacia el final de este periodo, hacia el siglo VII, ya hay un hervor tántrico que se manifiesta en formas no sólo hindúes sino también budistas y jainas. Todo este ambiente se expresa en la colección narrativa de forma notable, y quizá esto incluso influyó en su pobre recepción entre los musulmanes, según opina Burton, debido sin duda al notorio espíritu politeísta que lo impregna (una diferencia notable con *Las mil y una noches*, de signo más monoteísta).

En términos de la historia de la colección *Vetala*, su circulación oral ocurre en medio del desarrollo tántrico, y se pone por escrito no antes del siglo XI, en sánscrito. Las historias habladas originalmente en la lengua de los demonios son ahora escritas, varios siglos después, en la lengua de los dioses. Casi siempre suele pensarse en el *Vetala* como un texto hindú en el que se cuelan algunos aspectos budistas (como en algunos cuentos en los que se impone el ideal budista del *bodisatva*, el autosacrificio lúcido en beneficio del otro). Sin embargo, en años recientes han aparecido opiniones divergentes, fruto de la comparación de la colección india con otras colecciones similares, como las versiones tibetanas y mongolas de marca budista dominante, no hindú. Es el caso de la de Mac Donald, quien con base en el estudio y traducción del corpus tibetano, bautizado como *Histoires du Cadavre*, afirma categóricamente:

> Creo que en vista del testimonio suministrado [...] de ahora en adelante hay que postular la existencia de una versión budista india que sería tal vez anterior incluso a las versiones actualmente disponibles. En este caso, el cambio de marco habría tenido lugar, no en las versiones tibetanas, sino en las versiones indias. Y estas versiones indias representarían un esfuerzo misionero hindú para borrar las huellas de budismo en estos relatos [...] Al contrario, más bien son los tibetanos los que habrían conservado fielmente, aquí como allá, las tradiciones budistas originarias de la India.[16]

[16] Alexander William Macdonald: *Matériaux pour l'étude de la littérature populaire tibétaine I*, Société d'Ethnologie, Nanterre, 1990, pp. 16-17.

No obstante esta posibilidad, en las versiones consultadas el ambiente es hindú predominantemente. Se trata de las versiones sánscritas de Somadeva y Shivadasa, escritas tras una época de florecimiento tántrico, tanto hindú como budista, como se aprecia en el hecho de que, por ese mismo tiempo, se sistematicen prácticas budistas tibetanas en donde el tópico del vetala (en sus implicaciones místicas en términos del *vetalasiddhi,* proyección voluntaria de la propia consciencia en otro cuerpo) está presente. Así ocurre en la sistematización realizada por Naropa (1016-1100 n. e.) en sus *Seis Yogas*, que comprenden la generación del calor interno (o *tummo*), la yoga del cuerpo ilusorio, la yoga del sueño, la yoga de la luz clara, la yoga de la transferencia de conciencia (*powa*, práctica terminal para renacer en un paraíso búdico) y la yoga de la proyección voluntaria, donde la conciencia no se transfiere a otra dimensión sino a otro cuerpo en esta misma dimensión:

> la expresión "proyección en otra residencia" se usa porque uno proyecta la consciencia en el cadáver no deteriorado de otra persona; de manera similar a entrar en una villa ajena, uno proyecta la propia consciencia en esa residencia. La instrucción para este proceso es una especialidad del más alto tantra del yoga.[17]

El texto de Naropa (también de previo linaje oral) se escribe en el mismo siglo en que los cuentos del *Vetala* se ponen por escrito.

[17] Glenn H. Mullin (ed.): *Tsongkhapa's Six Yogas of Naropa*, Snow Lion Publications, New York, 1996, p. 215.

Posteriores comentadores de las prácticas de Naropa tienden a dejar de lado la última yoga, la de la proyección voluntaria, la «vetálica». Así el caso de Tsongkhapa (1357-1419), que la califica de práctica extremadamente secreta, sin explicar mucho. Otros autores la sacan del grupo de seis y la sustituyen por otra. Sobre esto dice Mullin:

> Para compensar la remoción, se eleva, ya sea el *karmamudra* yoga o bien la yoga del sueño, al estatus de una de las «Seis Yogas» para completar el número seis. La lógica de la remoción es que teóricamente esta doctrina ya no se practica; o, si se hace, se usa sólo en el más estricto secreto. La explicación corriente es que el linaje de la práctica acabó con la misteriosa muerte del hijo de Marpa, Darma Dodey, a quien el linaje había sido transmitido.[18]

Marpa fue discípulo de Naropa y tenía un hijo, Darma Dodey, a quien transmitió la enseñanza de la proyección voluntaria, al parecer sin la debida autorización del linaje. El joven tuvo un accidente grave al caer de un caballo y, antes de morir, se dice que proyectó su conciencia en un gorrión que pasaba rumbo a la India. El ave al llegar se posó sobre el cadáver de un joven brahmán que yacía sobre una pira aún no encendida y le traspasa la conciencia de Darma Dodey. Entre el alboroto la gente entonces ve cómo el muchacho resucitaba y así Dodey consigue continuar sus prácticas espirituales, ya rebautizado con el tiempo como Tipupa, el Mahasiddha Gorrión. Años más tarde lograría reconectarse con su viejo linaje budista. Esta parte del relato de la vida del hijo de Marpa es la más

18 Ibídem, p. 86

conocida, aunque hay otra menos luminosa que afirma que, debido a que Marpa había transmitido indebidamente el yoga «vetálico» de la proyección voluntaria a su hijo, y no a Milarepa como correspondía, fue exhortado por la comunidad yóguica a reparar su error por la aniquilación del muchacho, a lo que lógicamente el padre se opuso. Entonces otro yogui notable de la comunidad tuvo que cumplir el encargo por medio de un ritual mágico, por el cual se convirtió en un cuervo que golpeó a Darma Dodey mientras cabalgaba y causó su fatal caída.

¿Por qué un yogui budista querría tomar otro cuerpo, cuando de lo que quiere liberarse es más bien de todo cuerpo? Este es un ideal abstracto, más budista que tántrico (que recupera espiritualmente la dimensión corporal, sin rechazo ni apego), pero en la vida práctica puede haber situaciones que aconsejan cambiar de cuerpo, obtener uno nuevo y apropiado; no vivo porque esto sería matar, pero sí recién fallecido y que pueda reciclarse. Tsongkhapa señala tres razones posibles: cuando se poseen grandes limitaciones físicas que impiden beneficiar a los demás, enfermedades graves que también obstaculizan el bienestar ajeno, o un yogui viejo que quiere continuar su práctica sin la interrupción de la muerte, el renacimiento y el reaprendizaje, pues la resurrección de un cadáver para nueva residencia no rompe la continuidad de la memoria proyectada, como sí ocurre con la muerte.

Vemos así cómo la yoga de la proyección voluntaria –vinculada con el *vetalasiddhi*– perdió presencia y prestigio en el desarrollo posterior budista en tanto práctica espiritual elevada y promovida. Se temió más bien su uso indebido (en el que habría caído incluso el propio Marpa) y se la fue poniendo de lado, exiliándola más bien al lado de la magia negra y la brujería, que es lo que se nota en estudiosos occidentales como Alexandra David-Néel y Martin Boord, con quienes el temor al *vetalismo* maligno y demoníaco se manifiesta otra vez.[19]

Vetala y macabrismo

En su famoso y entretenido libro titulado *Magos y místicos del Tíbet*, la exploradora Alexandra David-Néel se refiere a prácticas vetálicas de reanimación de cadáveres en el Tíbet, el *ro-lang* o «cadáver que se levanta», y aclara, a mi juicio vanamente, «que estas prácticas no tienen nada que ver con el budismo, ni siquiera con el lamaísmo oficial»;[20] las refiere más bien como propias de los *bonpos*, esto es, los partidarios de la religión prebudista del lugar, de corte más chamánico. He aquí un párrafo sobre la ceremonia:

> El celebrante del rito se encierra sólo con el cadáver en un cuarto oscuro. Debe reanimar al muerto echándose sobre él, poniendo su boca contra la suya y repitiendo continuamente una fórmula mágica, siempre la misma, sin que ningún otro pensamiento lo distraiga. Al cabo de unos instantes el cadáver empieza a moverse. Se levanta y quiere escaparse. El hechicero tiene que abrazarlo entonces con toda su fuerza y mantenerlo pegado contra sí. El muerto se agita más y más, salta, con rebotes prodigiosos, y el hombre que lo estrecha salta al mismo tiempo, sin separar su boca de la suya. Por fin, la lengua del cadáver cuelga un poco. Es el momento crítico. El hechicero debe cogerla con los dientes y

19 Cfr. Martin Boord: ob. cit.; Alexandra David-Néel: *Magos y místicos del Tíbet*, Índigo, Barcelona, 1988.

20 Alexandra David-Néel: ob. cit., p. 164.

> arrancarla. En el mismo momento el cadáver vuelve a caer inerte, y su lengua, cuidadosamente disecada y conservada por el hechicero, se convierte en un arma mágica.[21]

Sin mucho esfuerzo podrían establecerse equivalencias entre el rito descrito y un acto sexual de tipo perverso y violento, aderezado con magia y diabolismo, como muchos de los que ocurren en las grandes ciudades de hoy y que son carne de prensa, cine y televisión. Por temores éticos se desaprovecha el valor simbólico del cadáver, sin que ello signifique loas a la necrofagia.

Por su parte Martin Boord, en su libro *The Cult of the Deity Vajarakila* (1993), también vincula la reanimación de cadáveres con ritos de magia negra. La *phurba* (daga o estaca mágica usada en ciertos rituales tibetanos) aparece vinculada al control de los vetalas, a la hora del ritual:

> Se dice que el yogui debe realizar este rito en un cadáver en buena condición *(aksatanga*, «con vínculos sin romper»). Tal cadáver [...] debe controlarse por medio de cuatro *khadirakilas* (dagas mágicas) y el yogui debe sentarse sobre este y realizar un rito *homa* [de fuego] en que quema ofrendas de gemas pulverizadas [...] el cadáver debe ser clavado con *kilas* (dagas) de madera de jujube (*badara*). En ambos casos las *kilas* presumiblemente son una medida precautoria contra la posibilidad de que el *sadhaka* (practicante) sea dominado por el monstruo cuando se levante.[22]

[21] Ibídem, p. 165.

[22] Martin Boord: ob. cit., p. 43.

Boord también menciona el detalle de la lengua del vetala, que en un momento del rito ha de ser cortada por el yogui y usada como poderoso amuleto. Su lengua se convierte en una verdadera «joya que cumple todos los deseos»[23] *(cintamani)* y torna así a su poseedor en una suerte de Aladino que, en vez de lámpara maravillosa, tiene una todogenerosa lengua de vetala. En vida podrá viajar a donde quiera y poseer cuanto desee y, muerto, renacerá en un paraíso búdico. Esa lengua negruzca y seca funciona como gran espada y, de hecho, en las descripciones de algunas figuras búdicas de tipo furioso y enérgico, se menciona a veces entre sus atributos «una espada hecha de lenguas de vetalas».[24]

Estas descripciones de David-Néel y Boord podrían parecer muy macabras desde ojos occidentales que leen aquel rito a través del relato de un informante, en el caso de la francesa, o según un tantra budista, en el del inglés. ¿Qué dice al respecto, cómo lo describe un budista perfecto como Tsongkhapa? Más allá del hecho de trabajar con un cadáver, toda la parafernalia macabra de las descripciones occidentales se desvanece y queda tan sólo una práctica contemplativa difícil, ciertamente secreta, siniestra por su componente cadavérico según nuestra tradición occidental, pero normal según la visión tántrica, realizada en un contexto búdico de búsqueda de sabiduría y compasión. Resumo la descripción del proceso dada por Tsongkhapa: tras los debidos antecedentes rituales hay que conseguir un cuerpo fresco, sin descomposición, que no haya recibido heridas

[23] Ídem.

[24] René de Nebesky-Wojkowitz: *Oracles and Demons of Tibet. The Cult and Iconography of the Tibetan Protective Deities*, Book Faith India, New Delhi, 1996, p. 65.

profundas o tenido enfermedades agotadoras. Como prácticas previas de entrenamiento, ciertos animales fallecidos no hace mucho pueden ser usados al principio. Se lava bien el cuerpo, se le adorna y embellece, se le sienta con las piernas cruzadas dentro de un mandala o diseño circular. Empieza entonces un proceso de visualización de sílabas mágicas que salen del vivo (sentado en flor de loto frente al muerto) hacia el muerto una y otra vez, y de él regresan, en un circuito circular incesante, hasta que el cadáver comience a respirar. Al principio no hay que precipitarse en el traslado de residencia, pero, una vez cumplido el proceso, el viejo cuerpo es quemado en una pira ritual por el nuevo.[25]

Aquí no hay estacas mágicas ni otros elementos de escenografía macabra. La suya no es una descripción literaria o antropológica, sino la de una práctica secreta de corte contemplativo, según lineamientos tántricos. No busca entretener al lector sino iluminarlo.

¿Está presente este componente macabro en los *Cuentos del Vetala* según Somadeva, en traducción de Renou? Para responder mejor, hay que mencionar que la estructura de la colección está dada por un prólogo, veinticuatro cuentos y un epílogo, cuya resolución constituye la historia veinticinco. Vimos cómo la esposa de Burton decía que las historias agradarían sobre todo a quienes gustan más de lo fantástico y lo sobrenatural, lo grotesco. También Louis Renou señala este componente de la colección cuando afirma que «el elemento mágico está hábilmente entretejido en un contexto que le da apariencias de verosimilitud: el paso de la esfera de lo real a la esfera de lo fantástico

25 G. H. Mullin (ed.): *Tsongkhapa's Six Yogas of Naropa*, pp. 85-89.

es natural y no provoca ningún fastidio».[26] Y aunque no todas las historias podrían ser consideradas como fantásticas, más allá de un cierto trasfondo mitológico que se torna una segunda naturaleza, quizá de lo más fantástico del texto es que su dinámica venga establecida por un ente imaginario como el vetala.

El prólogo cuenta de un yogui que día tras día ofrece a Vikram en su corte una fruta, que el rey agradece y luego desdeña arrojándola lejos de él. Con el tiempo descubre, tras haber dado la fruta a uno de sus monos y haber descubierto una joya en su interior, que todo el lugar oscuro donde había arrojado las anteriores frutas estaba lleno de piedras preciosas entre secas y podridas cáscaras y con algunos gusanos. El rey inquiere al yogui sobre tan gran generosidad, un tesoro en piedras incluso para un rey. ¿Cómo puede agradecérselo? Responde el yogui que con la participación del rey en un ritual privado que lo ayudará a adquirir cierto poder oculto, que es lo más valioso para él, no esa pedrería preciosa. El buen rey acepta el pedido y acude una noche oscura más allá del bosque, hacia el, más que cementerio, campo de osarios y piras, con cuerpos abandonados al apetito de las fieras, donde será la ceremonia. Una vez ahí el yogui le advierte que se requiere de la ayuda de un vetala cuyo cadáver se encuentra colgando de un árbol no muy lejos. Lo primero por hacer es ir al árbol, bajar el cadáver vetálico de la rama en que cuelga, echárselo al hombro (pues el vetala no se mueve ni camina, quizá siga débil) y traerlo. Eso sí, el vetala habla y habla y habla a lo largo del recorrido, y cuenta las historias. La situación de un personaje llevado literalmente a cuestas por otro que camina no parece muy creíble como

26 Louis Renou: ob. cit., p. 23.

para ponerse a contar historias, cuando menos no de parte de Vikram, que lleva el cadáver parlanchín al hombro. No hay un marco de ocio y placidez para ponerse a contar (y a oír) historias, sin importar si la muerte amenaza, como a Scherezada en *Las mil y una noches.*

Previamente el vetala ha advertido al rey que, tras cada historia narrada, hará una pregunta. Si Vikram responde impulsado por el destino, la astucia o la vanidad, entonces él se alejará rápidamente y volverá a colgarse de la rama, de donde tendrá que bajarlo veintitantas veces ese rey incapaz de controlar su lengua y dejar de contestar al vetala, hasta que, sumiso, no responde y conquista así el silencio. Para nosotros, lectores, el triunfo de Vikram es nuestra derrota pues con él acaba la historia. Es el silencio del rey (más su tranquilidad y contento) lo que detiene el *samsara* discursivo del vetala, su ciclo de renarraciones y reencarnaciones. Satisfecho por la victoria, el vetala le cuenta a Vikram cómo evitar la muerte que le tiene preparada el yogui siniestro, tras entregarle el cadáver habitado. El ciclo termina con la historia en que él es el personaje, ya no sólo quien carga al hombro al narrador. La argucia planeada por el vetala y ejecutada por el rey termina en éxito: en lo inmediato, la decapitación del yogui siniestro; más allá: su triunfo político y material, en esta vida, y la unión espiritual con Shiva después.

Los rasgos macabros asociados a ritos vetálicos que vimos señalados por David-Néel y Boord son reconocibles en el texto, tanto en el prólogo como en el epílogo. He aquí un ejemplo al inicio:

> [Vikram] se dirigía al cementerio: la espantosa masa de espesas tinieblas empañaba la vista; la llama de las piras fúnebres

eran otros tantos ojos temibles; lúgubre era aquel cementerio, monstruoso con sus osamentas sin número, con sus cráneos y esqueletos humanos; fantasmas, vampiros gigantescos, rebosantes de excitación, ocupaban las entradas; resonaban los aullidos penetrantes de los chacales: todo parecía una segunda forma de *Bhairava* que inspiraba misterioso pavor. Pero el rey no se turbó por todo esto; lanzó una mirada en derredor y descubrió al mendigo que, junto a la hoguera, trazaba un círculo mágico.[27]

Hacia el final, al acercarse el rey donde el yogui con el vetala a cuestas, reaparece el rasgo macabro:

> Lo vio solitario bajo el árbol, acechando su llegada en aquel cementerio que la noche de luna nueva hacía aun más espantoso. Con el polvo blanco hecho de huesos triturados, el mendigo había trazado en el suelo empapado de sangre un círculo mágico, y en cada uno de los cuatro puntos cardinales había colocado un jarro lleno de sangre. Teas de grasa humana lanzaban un vivo resplandor.[28]

Tras esta parafernalia macabra afín a las de Boord y David-Néel, lo que sigue de la ceremonia se parece mucho a lo descrito por Tsongkhapa, sólo que en contexto hindú, no budista:

> El mendigo, que creía haber alcanzado su objetivo, descargó el cadáver del hombro del rey, lo lavó, lo restregó con perfumes, le colocó una guirnalda para ceñirle todo el cuerpo y luego lo puso

[27] Anónimo: *Cuentos del vampiro*, Paidós, México, 1999, p. 26-27.
[28] Ibídem, p. 199.

> en el interior de un círculo mágico. Permaneció un instante sumido en la meditación, con el cuerpo cubierto de cenizas, envuelto en la vestimenta del cadáver y llevando su cordón brahmánico hecho con cabellos humanos. Luego, valiéndose de fórmulas mágicas conjuró el vampiro y lo obligó a entrar en el cadáver.[29]

El resultado final es muy positivo para Vikram y para el vetala, quien siendo parte del cortejo de Shiva logra llevar al rey al encuentro total con tal deidad. En el caso de la versión de Somadeva, traducida por Renou, el conjunto de veinticinco aparece apenas como un episodio en una más vasta colección, el *Kathasaritsagana* o «Océano en que confluyen los ríos de historias», de entre 1063 y 1081.[30] Son narraciones de apariencia profana que incluyen entes y situaciones no realistas, más bien extrañas o maravillosas, en un contexto exótico y lejano para un lector occidental. Si bien hay moraleja al final de los cuentos con la inevitable respuesta del rey, el tono de sus historias no es siempre moralista y a veces incluso parece ambiguo. En todo caso, no se compara al didactismo de otra célebre colección de cuentos indios, el *Panchatantra*.

29 Ibídem, p. 200.

30 Cfr. Somadeva: *Tales from the Kathasaritsagara*, Penguin Classics, New York, 1997.

Ueda Akinari y el gótico japonés

En sentido estricto, las categorías de la historia literaria tienen una aplicación cronológica más o menos específica, como cuando pensamos en barroco y lo remitimos sobre todo al siglo XVII europeo, o cuando vinculamos lo romántico básicamente con el siglo XIX. A veces dichas categorías rebasan sus aplicaciones temporales y espaciales de origen y adquieren una connotación mayor y transecular, como ocurrió con el concepto de barroco en manos de Alejo Carpentier, con quien dejó de ser algo propio de un siglo o siglos en especial para tornarse en una suerte de arquetipo estético presente en distintas culturas y tiempos.

«Gótico» es una de esas categorías que nació «desfasada» desde sus orígenes porque, aunque moderna, alude a lo medieval, a lo propio de los antiguos godos (algo bárbaro y no cristiano). Surgió en la segunda mitad del siglo XVIII, casi al mismo tiempo en que se discutía el concepto de romántico, y ambos términos -cómplices entre sí- entraron en conflagración con el paradigma ilustrado impuesto. Así, gótico y

* Este texto fue publicado originalmente en *Acta Poética*, n.º 36, junio, 2015.

romántico aparecen como reacción a la Ilustración, como rescate del lado oscuro de lo humano y de la naturaleza; presuponen un adversario racionalista, sin asumir por ello el peso de una irracionalidad a secas –como acusan sus enemigos y más de un despistado–, sino más bien un rescate de potencias que están antes y después de la razón, esto es, lo inconsciente, las emociones, la intuición y la imaginación, esta última la facultad humana suprema. Gótico y romántico desde sus inicios se alimentaron de la categoría estética de lo sublime, de origen neoplatónico, rescatada a mediados del XVIII por Edmund Burke, y actualizada por entonces en términos de un sentimiento entre estético y místico de lo infinito terrorífico, que anudaba al microcosmos humano con el macrocosmos natural en angustioso abrazo, y que anunciaba ya al inconsciente freudiano de tipo subjetivo y sobre todo al inconsciente junguiano de tipo colectivo. No en vano la teorización posterior sobre gótico y romántico, sobre todo en sus derivaciones fantásticas, se hizo sobre la base del concepto freudiano de *Unheimlich*,[1] traducido al español como lo siniestro, lo ominoso o lo inquietante, o más recientemente, apoyándose en su heredero posmoderno, lo abyecto, en términos de Julia Kristeva.[2]

A diferencia de lo que pasó con la categoría de romántico, que básicamente se estabilizó alrededor del siglo XIX, lo gótico siguió su desarrollo en el siglo XX, incorporó otros lenguajes, medios y geografías, y se ha mantenido vigente hasta la actualidad con un carácter popular muy marcado que la alta cultura

[1] Cfr. Sigmund Freud: *Lo siniestro. El hombre de la arena*, José J. de Olañeta Editor, Barcelona, 1979.

[2] Cfr. Julia Kristeva: *Poderes de la perversión*, Siglo XXI, México, 1997.

(incluida la académica) se ha encargado de señalar, primero como escarnio y desdén y, últimamente, como elogio bajtiniano o sociocrítico. Al principio se pensó en lo gótico como una categoría específica del proceso literario europeo (y en sentido estricto creo que lo es), aunque hay que reconocer que después, sobre todo en el siglo XX, el término se extendió a otras áreas lingüísticas y culturales en el contexto poscolonial y secularizador con imposición de ideología metropolitana, lo que a veces resultaba en un producto gótico exotista. A lo largo del siglo, en un creciente contexto de globalización a la occidental, se dio una exportación (sobre todo desde la lengua inglesa) de lo gótico y se comenzó a hablar de un gótico latinoamericano o caribeño o asiático. En estos casos, más que de gótico en sentido estricto, se hablaría de neogóticos o de gótico poscolonial, o algún otro término que acote su posterioridad cronológica y hasta geográfica.

El caso japonés es diferente. Si tomamos a Ueda Akinari y su obra como punto de partida de una tradición «gótica» japonesa, lo primero que llama la atención es su simultaneidad con el origen del gótico europeo a finales del siglo XVIII (la obra emblemática de Ueda es la colección de cuentos fantasmales titulada *Ugetsu Monogatari*, aparecida en 1776).[3] No se puede alegar una influencia occidental a la distancia, pues Japón se encontraba en aislamiento cultural propiciado por el *shogunato*, reclusión que sería allanada a cañonazos por el Comodoro Perry en 1854, con lo que se inició la occidentalización del país. Así, el gótico japonés y el europeo nacieron

[3] Cfr. Ueda Akinari: *La luna de las lluvias* (*Ugetsu Monogatari*), José J. de Olañeta Editor, Barcelona, 2009.

independientemente por la misma fecha, y uno no es posterior al otro, como ocurre con otros góticos periféricos.

Uno y otro surgieron en contextos muy distintos, con coordenadas culturales e históricas bien diferentes, por lo que una primera reacción es negarse a homologar dichos procesos literarios. ¿Cómo comparar el texto preciosista y casi solitario de Ueda Akinari (sobre un trasfondo de la «literatura del mundo flotante» o *ukiyozoshi*, algo muy específico de su historia literaria) con el aluvión oscuro en plena Era de las Luces de las obras de Horace Walpole, Ann Radcliffe y Mathew Lewis? Y sin embargo, si superamos esta duda inicial y bien justificada, y vamos más allá de la historia y la cultura disímiles para ingresar al análisis de textos y rasgos, entonces comienzan a surgir algunas correspondencias interesantes que nos hacen pensar en la posibilidad de una comparación justa, de una apuesta analógica más o menos fundamentada.

Atendamos por ejemplo al rasgo de la hibridez genérica del gótico, a la que el propio Horace Walpole aludió en su prefacio a *El Castillo de Otranto*. Ahí se propone una mezcla de dos tipos de romance, el antiguo y el moderno, uno anclado en la imaginación y en lo improbable, y el otro gobernado por lo probable y conectado con la vida común, como lo que luego llamaríamos realismo.[4] Tenemos entonces la mezcla de géneros y estilos como una marca gótica. Algo similar ocurre en el texto de Ueda y aquí habría que dar algunos antecedentes. La obra de Ueda surgió en un siglo XVIII marcado en Japón por una gran vitalidad popular en las ciudades donde coexistían

[4] Cfr. Jerrold E. Hogle (ed.): *The Cambridge Companion to Gothic Fiction*, Cambridge University Press, 2002, p. 1.

la mano fuerte del samurái y la mano ávida del comerciante burgués, con un emperador débil tras bambalinas. Se produjo un refinamiento urbano de las costumbres y las artes al que se aludió como el arte de «la vida flotante». Sobre esta expresión apunta Kazuya Sakai, traductor de sus cuentos al español, y cuya versión cito en este ensayo:

> En la época Genroku, hacia el final del siglo XVII, el término *ukiyo*, que por su raíz budista originalmente significó «mundo triste» del cambio fugaz y la transitoriedad, adquirió el sentido de «mundo flotante», el mundo del placer y del bienestar material, en otra interpretación de la inestabilidad que domina a este mundo fugaz. Pero la extensión del término acabó por designar lo que era «moda», «estar al día», hasta convertirse en un principio regulador de la conducta y la mentalidad de una gran parte de la burguesía mercantil acaudalada.[5]

Así, de la vida flotante se pasó a un «arte flotante» que se expresó en pintura, en grabado y, claro, en una narrativa diversa en géneros, fácil, costumbrista, erótica, a veces con cierto descuido literario, destinada al consumo y al entretenimiento, cuyo máximo representante fue Ihara Saikaku. Akinari, por su parte, empieza su actividad literaria afiliado a dicha corriente y sus primeros escritos se inscriben en tal tradición, que ya languidecía para cuando él se inicia. Podría decirse que Saikaku abre el ciclo *ukiyo* y Ueda lo cierra, pues, como bien escribe Carandell, «entre las obras de ficción de

5 Kazuya Sakai: «Prólogo», en Ueda Akinari, *Cuentos de lluvia y de luna*, Era, México, 1969, p. 25.

Ihara Saikaku, muerto en 1693, y el libro de madurez de Ueda Akinari, en el último cuarto del siglo XVIII, no se produjo nada realmente perdurable».[6] Después, a mediados de su tercera década de vida, Akinari da un giro al timón literario y se rebela contra el *ukiyo*, se pone a estudiar chino clásico y literatura antigua japonesa y desarrolla por única vez un texto de estilo pulido con tema fantástico. El resultado de tal mutación es *Ugetsu monogatari*, un grupo de relatos sin igual que inscribirá su nombre en la posteridad, y que constituirá su pasaporte al canon.

En esta colección de historias hay fuentes chinas adaptadas a lo japonés, lo mismo que menciones de obras representativas de la cultura japonesa. Lo suyo no fue simple acto mimético pues, por su estilo y tratamientos literarios, sus historias por derecho propio superan con mucho a sus modelos. Hay una admiración por lo clásico, que se mira como absoluto, como meta ideal, por oposición a un presente literario que ya no entusiasma. En palabras de Young:

> El propio Akinari había llegado a ver que la literatura de su tiempo estaba en una condición lamentable. En la medida en que su contacto con las obras maestras del pasado creció, fue lógico que él sintiera una aspiración por las glorias del pasado y un deseo por elevar la literatura contemporánea a un plano similar. En su prefacio a *Ugetsu*, Akinari comparó su obra con *Shui hu chuan* y *El relato de Gengi*. Es dudoso creer que realmente esperaba lograr algo igualmente monumental, pero esto representó su intento

[6] José María Carandell: «Presentación», en Ueda Akinari, *La luna de las lluvias (Ugetsu Monogatari)*, p. 14.

consciente de revivir el espíritu de los clásicos Heian, y lo intentó meticulosamente.[7]

En esta obra Akinari mezcla lo clásico antiguo (en tema y forma) con el *ukiyo* popular, sometido todo ello a la tensión de un refinamiento lingüístico que no excluye lo histórico ni lo coloquial, en un registro fantástico que cautivará a sus lectores. Al decir de Carandell:

> Sería incorrecto suponer que el *Ugetsu monogatari* es un ejemplo y cifra del neoclasicismo dieciochesco. Tiene también la cara del *ukiyo*, la fuerza popular. Como se ha dicho, el clasicismo de aquel tiempo fue revitalizado por la otra cara, exuberante y frívola, de las nuevas corrientes [...]. En un paso más allá, el propio Ueda Akinari introdujo en esa vena romántica el relato de corte tradicional y de estilo clásicamente perfecto, o, lo que es lo mismo, inquietó la narrativa clásica con el temblor romántico del *ukiyo*.[8]

Es interesante observar cómo los lectores occidentales del giro literario de Ueda, en este caso Carandell, pero también Young, terminan refiriéndose a él como «romántico» que se relaciona ambiguamente con lo clásico, en un gesto de hibridación textual, proyectando así en el mundo japonés sus categorías críticas europeas.[9] ¿No nos recuerda esta operación de escritura

7 Blake Morgan Young: *Ueda Akinari*, University of British Columbia Press, 1982, p. 52.

8 José María Carandell: ob. cit., p. 18.

9 Cfr. Blake Morgan Young: ob. cit., p. 48.

llevada a cabo por Akinari la propuesta por Walpole cuando hablaba de mezclar lo antiguo y lo moderno? Es así como el rasgo de hibridez de género y estilo, pero también de alta y baja cultura, con que se ha caracterizado al gótico europeo, calza también para el caso de Ueda Akinari.

El título *Ugetsu monogatari* ha sido traducido por Kazuya Sakai al español como *Cuentos de luna y de lluvia* (1969) y por Manuel Serrat como *La luna de las lluvias* (2009).[10] Serrat, a diferencia del primer traductor, excluye del título el aspecto narrativo implícito en el término *monogatari*, una marca más de mestizaje de género, ya que es una categoría de relato sin equivalente exacto en la literatura occidental que combina novela, cuento histórico, cuento de hadas, poesía, folletín, relato de costumbres o amores. Piénsese al respecto en el famoso *Genji monogatari*, un clásico de la literatura japonesa de principios del siglo XI, escrito por la dama de la corte Murasaki Shikibu, alabado por autores como Borges, Paz y Yourcenar, y que ha sido traducido al español como «relato», «romance» o «historia de Genji», el personaje masculino de eso que a un lector contemporáneo le parece una novela.[11] Volviendo a Akinari, su título alude al momento en que el autor terminó de escribir sus historias, en una noche en que la luna brillaba turbiamente entre las nubes después de la lluvia, por lo que también podría traducirse, según Young, como

10 Ueda Akinari: *Cuentos de lluvia y de luna*, edición y traducción de Kazuya Sakai, Era, México, 1969; *La luna de las lluvias*, presentación de José María Carandell y traducción de Manuel Serrat Crespo, José J. de Olañeta Editor, Barcelona, 2009.

11 Murasaki Shikibu: *Romance de Genji*, José J. de Olañeta Editor, Barcelona, 2004; *La novela de Genji*, Destino, Madrid, 2010.

«cuentos de luz de luna y de lluvia» o bien «cuentos de la luna nublada».[12] En todo caso, en los diversos títulos se privilegian el agua, la luz lunar, la penumbra; se trata de relatos húmedos, de claroscuros, que vehiculan en sus signos terribles toda suerte de demonios y de espectros.

Resulta llamativo que Akinari, que provenía del *ukiyo* realista, dé este giro de registro hacia lo fantástico de manera excepcional, pues es el único título en su obra con estas características no miméticas y, sin embargo, es la parte que ha eclipsado a todo el resto, consistente en seis títulos más. Como afirma Young: «*Ugetsu* fue la única aventura de Akinari en la literatura de lo sobrenatural y probó ser superior a todos sus predecesores y continuadores en el género en Japón. Como ninguna otra obra, combina una vívida atmósfera fantasmal con un estilo poético que es una delicia de leer.»[13] Poco antes el mismo autor había dicho que «Akinari produjo una obra de inquietante belleza que representa el más alto nivel artístico alcanzado por el cuento sobrenatural en Japón».[14]

De los lectores de Akinari que se han preguntado sobre la importancia de sus creencias en lo sobrenatural para elaborar sus relatos, Young tiende a disminuirla al afirmar que no fueron incompatibles con lo que llama «una visión racional de la vida»,[15] que es lo que se ve más en el resto de su obra, mientras que Kazuya Sakai, si bien acepta la fuerza de tales creencias en el autor, considera arriesgado «considerar este aspecto de su

[12] Blake Morgan Young: ob. cit., p. 48.

[13] Ibídem, p. 53.

[14] Ibídem, p. 50.

[15] Ídem.

inclinación como motivación directa y principal en la creación de *Ugetsu*».[16] Y así debe ser, puesto que, como ya señalamos, lo fantástico es excepcional en su trabajo literario, no así en su vida personal, pues, según la leyenda, fue salvado de la muerte gracias al dios zorro Inari. Parece ser que su afligido padre acudió al templo de dicho dios para pedir por la salud de su hijo que agonizaba. El hombre se quedó dormido en medio del rezo y la meditación y tuvo una visión en la que se le aparecía el dios para predecirle la curación del niño, además de que viviría hasta los 67 años (de hecho, murió a los 75). El autor mantuvo su devoción por dicho dios (inscrito en su propio nombre) por el resto de sus días y hasta le ofrendó poemas.

En los cuentos de Akinari los fantasmas leídos en los textos chinos y del viejo Japón dejan de ser planos, unidireccionales o exceden la simple función de aterrorizar como en la leyenda oral, y adquieren psicología y alta expresión estética sin dejar de asustar, o mejor, de asombrar. En este sentido me resultan muy modernos e inquietantes; por eso causaron revuelo en su momento entre sus coetáneos, además de que la modernidad que bien pronto encauzaría al país supo también reconocer en ellos un tesoro literario. Akinari escribió en una época en que a su juicio la sociedad decaía en relación con un pasado ideal y clásico. Hay en sus cuentos un nivel ético importante porque, sin llegar a la moraleja, se encuentra de pronto la alabanza de alguna virtud que falta en el mundo presente, como puede ser la fidelidad y la hermandad en uno de los primeros cuentos del *Ugetsu*, «Cita en el día del crisantemo», que para juicio de muchos es la mejor historia del conjunto.

16 Kazuya Sakai: ob. cit., p. 20.

Ha sido resumida así por el escritor contemporáneo Haruki Murakami en su novela *Kafka en la orilla* por boca de uno de sus personajes:

> Dos guerreros se hacen amigos y juran ser hermanos de por vida. Entre samuráis, este juramento es muy importante. Hacer esta promesa equivalía a poner la vida en manos del otro, a entregarla gustosamente por el otro de ser necesario. Eso significaba. Los dos viven en regiones muy alejadas y sirven a dos señores diferentes. «Cuando el crisantemo esté en flor, iré a visitarte», le anuncia uno al otro. «Te espero», responde el otro. Sin embargo, el samurái que tenía que ir a visitar a su amigo se ve envuelto en problemas en su señorío y es arrestado. No puede salir. Tampoco le está permitido escribir una carta. Pronto acaba el verano, avanza el otoño y llega la estación en que florecen los crisantemos. El samurái no puede cumplir la promesa que le ha hecho al amigo. Para un samurái, una promesa tiene una importancia capital. La fidelidad tiene más valor que la propia vida. El samurái se suicida abriéndose el vientre y su espíritu recorre una larga distancia para reunirse con su amigo. Ambos, ante las flores del crisantemo, hablan hasta la saciedad y luego el espíritu desaparece de la faz de la Tierra. Es una historia preciosa.[17]

Sí, es una historia preciosa pero un poco distinta en el texto de Ueda, pues para empezar, de los dos amigos sólo uno es samurái, mientras que el otro es un letrado, y esto no era insignificante en la sociedad japonesa. Tras enfermar el guerrero en su paso por la tierra del artista y ser cuidado por este asiduamente

[17] Haruki Murakami: *Kafka en la orilla*, Tusquets, Barcelona, 2002, p. 285.

hasta recuperar la salud, se marcha a sus oficios militares no sin antes hacer la promesa del reencuentro. Todo este proceso es descrito con una carga no sólo fraternal sino también erótica, aunque de una manera más bien velada. Este sutil y creciente cariz homoerótico es la razón por la que Murakami recuerda el texto de Akinari como si fuera un cuento de amor entre samuráis, haciendo una conexión quizá involuntaria con los relatos del maestro del *ukiyo* ya mencionado, Ihara Saikaku, específicamente con su conjunto de historias de amor entre samuráis titulada *El gran espejo del amor viril*,[18] de 1687, y que tanto Akinari como Murakami conocieron.[19] Este rasgo homoerótico añade una cierta carga transgresora al cuento, donde el deseo termina superando a la muerte, y es una característica que amarra a Ueda con lo gótico, en donde también la sexualidad suele tener esta dirección a contracorriente.

En este cuento el homoerotismo se sublima por medio de fraternidad y lealtad ante todo, pero no siempre es así, también puede salirse de control como ocurre explícitamente en otra historia del conjunto llamada «El capuchón azul», en la que un monje virtuoso se echa a perder por el amor a un mancebo. El problema, en términos budistas, no es el objeto de su deseo sino simplemente desear y, sobre todo, como en este caso, con un apego tal que lo lleva a transformarse en un monstruo que

[18] Cfr. Ihara Saikaku: *El gran espejo del amor entre hombres*, Interzona, Buenos Aires, 2003.

[19] Resulta significativo que Nagisa Oshima (1932-2013), el célebre director de cine, en su película *Gohatto* (1999), que trata justamente de historias de amor entre samuráis, mencione con cierto detalle, por medio de uno de sus personajes, el cuento señalado de Ueda Akinari, aunque sí está consciente de que se trata en este texto del amor entre un samurái y un letrado, no de dos samuráis, como se cuenta en la versión de Murakami.

espanta al pueblo, tras haberse comido el cadáver del joven, muerto por una extraña enfermedad. El monje caído será rescatado por la intervención de otro monje errante que llega al lugar e interviene exitosamente para su recuperación búdica, la que sin embargo supondrá también su desaparición física.

En el caso de Akinari la diferencia con las historias de amores prohibidos de monjes con mancebos que también cuenta su antecesor Saikaku es abismal; no se limita a hacer una crónica del deseo flotante, con sorna o picardía, sino que literalmente la pasión desbordada torna monstruoso al personaje, lo vuelve sujeto de la imaginación gótica y termina disolviéndolo en polvo y aire. Hay que tener en cuenta que esta libertad con que Akinari aborda lo homoerótico se debe al lugar distinto que tuvo la homosexualidad masculina en Japón antes de su occidentalización, con una tradición más liberal al respecto, sin la carga de culpa, pecado y perdición por nosotros conocida. Como acabamos de mencionar, un siglo antes de Akinari ya Saikaku había escrito sus historias de amor entre samuráis, y autores más recientes que también abordaron en sus obras el tema homosexual, como Yukio Mishima en el siglo pasado, reconocen dicha diferencia cultural entre Japón y Occidente en la valoración de lo homosexual. Véase en este sentido su novela *El color prohibido*, en la que directamente se refiere a Saikaku y a Akinari como sus antecesores en narrar historias homoeróticas japonesas.[20] Ampliaré este punto en el siguiente ensayo.

Otra correspondencia en nuestra apuesta analógica intercultural entre el gótico europeo y el japonés se refiere a la importancia narrativa del lugar encantado, ese sitio antiguo o

[20] Cfr. Yukio Mishima: *El color prohibido*, Alianza, Madrid, 2009.

en ruinas, escenario de algo ido y desconocido, poseedor de un secreto, cuya develación es parte del encanto de la narración. Es el *locus* propicio para toda suerte de fantasmas, representantes justamente de ese tiempo ido y velado, pero no por ello disuelto sino apenas latente, flotando en el aire como una nube amenazadora que podría volverse tormenta. Se establece una relación estrecha entre el espacio, el fantasma y el secreto. En palabras de Jerrold E. Hogle:

> En este espacio, o en una combinación de tales espacios, están escondidos algunos secretos del pasado (a veces del pasado reciente) que espantan a los personajes, psicológicamente, físicamente, o de otras maneras. Estos miedos pueden tomar muchas formas, pero frecuentemente asumen las formas de fantasmas, espectros o monstruos (mezclando formas de diferentes reinos del ser, a menudo vida y muerte) que aumentan desde dentro, o a veces invaden el espacio desde reinos ajenos, para exponer crímenes sin resolver o conflictos que ya no pueden apartarse exitosamente de la vista.[21]

En el relato «La cabaña entre las cañas esparcidas» nos encontramos de nuevo con el tema del reencuentro de los amantes separados por las adversas circunstancias, como vimos en «Cita en el día del crisantemo»; uno en clave heterosexual centrado en la mujer fiel y su esposo comerciante que retorna, el otro en clave homosexual entre el samurái y el letrado. La fidelidad es el valor ético y erótico que sostiene ambas historias. Mientras en uno quien espera en la casa abandonada es

[21] Jerrold E. Hogle (ed.): ob. cit., p. 2.

la muerta al vivo, en el otro es el vivo en su casa quien espera al muerto. En ambos casos hay un reencuentro breve (lo que dure la luna tras la lluvia) del vivo con el muerto (o la muerta), ignorando el vivo que su efímera compañía es un fantasma (también el lector lo ignora y el descubrirlo es parte del efecto narrativo).

También en el cuento «La impura pasión de una serpiente» la casa fantasmal es un espacio importante, el lugar derruido que por magia erótica se reconstruye y sirve de ámbito de encuentro entre un hombre y una mujer que se obsesionará con él y lo perseguirá a lo largo de la historia, una mujer que reúne atributos humanos y animales, específicamente de serpiente. En vez del espacio maravilloso que el hombre experimenta, lo que otros personajes ven es descrito de manera bien distinta:

> El interior se veía más derruido que el exterior. Los guardias se internaron más y más. Los jardines eran muy amplios. El lago artificial del jardín y las plantas acuáticas estaban totalmente secos; en medio de un zarzal aplastado se erguía, tenebroso y trágico, un pino abatido por el viento. Cuando abrieron la puerta de la sala de recepción los acogió un soplo de aire con olor acre, fantasmal, que los hizo estremecer; la partida retrocedió, sobrecogida de temor.[22]

Con este cuento, a veces apoyado en la mitología tradicional, se entra de lleno en personajes femeninos nefastos que hablan de mutaciones debidas a pasiones impuras y desmedidas. En este caso tenemos a la mujer serpiente que persigue al viril objeto

[22] Ibídem, p. 138.

de sus deseos, pero en el cuento «El caldero de Kibitsu»[23] nos encontramos con una situación distinta; no lo femenino que desde el principio es maligno, sino la mujer fiel y tradicional, epítome de las virtudes femeninas (igual que la muerta que esperaba a su ausente marido en «La cabaña entre las cañas esparcidas»), y que debido a las infidelidades continuas de su marido se va transformando en un monstruo celoso que destruirá a sus enemigos. Al decir de Kazuya Sakai «El caldero de Kibitsu»

> está considerado por los críticos especializados como el cuento que dentro de *Ugetsu* y aun de toda la literatura japonesa, representa un logro en horror y suspenso [...] La impresionante escena de la aparición [del fantasma], seguida de la horrible venganza que descarga sobre su marido, resumen su invención magistral del horror y del suspenso.[24]

Mientras que las mujeres de «El caldero de Kibitsu» y «La impura pasión de una serpiente» fácilmente entran en el arquetipo de féminas fatales, la de «La cabaña entre las cañas esparcidas» es más bien su opuesto y encarna la virtud confuciana, subordinada al padre, al esposo, al hermano o al hijo.

Si bien como resultado de cierta ideología misógina la mujer es más proclive a ceder ante las pasiones impuras (incluso a conservarlas en el paso de una vida a la otra, dado el contexto budista de renacimiento y karma), el hombre que se descuida tampoco escapa al influjo de ciertas apetencias incontrolables.

[23] Ueda Akinari: «El caldero de Kibitsu», *Cuentos de lluvia y de luna*, Era, México, 1969, p. 138.

[24] Kazuya Sakai: ob. cit., pp. 46-47.

Como vimos, el monje de «El capuchón azul», por su pasión desmedida por un mancebo, perdió su virtud y se transformó también en un monstruo depredador, hasta que intervino un monje firmemente virtuoso. En todos estos casos, el mucho desear, el anhelar en exceso, monstruifica, *samsariza*, sumerge a hombres y mujeres en la rueda de la vida y de la muerte, los vuelve animales y demonios, metamorfosis que sólo acaban cuando la virtud los libera de su tremendo sufrimiento. Como puede apreciarse, hay en todo esto un indudable sabor budista que permea estas historias.

Sirvan estos esbozos críticos a los cuentos de Akinari para afirmar su pertenencia al género gótico, a pesar de sus especificidades culturales e históricas que permiten conceptualizar dicho género como una categoría transcultural, como un puente de signos siniestros, siquiera a manera de hipótesis a partir del caso de este excelente autor japonés que no en balde ha fascinado a propios y extraños.

Addendum narrativo: visita a la tumba de Ueda Akinari

A lo largo de los años he visitado las tumbas de algunos de mis escritores preferidos cuando las circunstancias abren la posibilidad de un viaje. No se trata de necrofilia sino de cariño y tributo personal, ese cálido sentimiento de un lector hacia su autor admirado. El mejor sitio para hacerlo es París, pues en un solo lugar puede uno encontrarse con muchos de ellos, sobre todo en el cementerio de Père Lachaise, aunque también en Montparnasse. Cuando hice mi peregrinación mortuoria al primero, visité las tumbas de Oscar Wilde, Marcel Proust y Gérard de Nerval. En el segundo, las de Baudelaire, Cortázar y Cioran. A este último le dejé una moneda para que pagara su óbolo a Caronte y pudiera llegar al otro lado. Ahí también lavé la tumba del dibujante Julio Ruelas, adalid plástico del fin de siglo XIX mexicano. Con él cambio de país, y de Francia nos vamos a México, en cuyo Panteón Jardín lavé la tumba de José Vasconcelos.

Cuando fui a Cuba por pocos días tenía que elegir sólo uno por falta de tiempo: elegí a Julián del Casal en el cementerio Colón, el poeta triste que murió de risa. En Costa Rica fui hace un tiempo con mi hermana Alma a la tumba de Yolanda Oreamuno, que al fin tiene placa y restauración, en el Cementerio General. En cada túmulo: una oración muda y mil gracias por el texto, aparte de ratificar un linaje, no de sangre, sino de tinta.

En 2014 tuve la oportunidad de visitar Japón tras muchos años de querer hacerlo sin éxito. Y con tantos autores japoneses admirados volví a plantearme el asunto de a cuál visitaría. En un cruce entre itinerario, gusto y posibilidad, elegí a Ueda Akinari, que me ha acompañado a lo largo de muchos años, desde que lo conociera gracias a mi maestra de Historia de la cultura en la Universidad de Costa Rica, Hilda Chen Apuy, y ya en México, por medio del escritor Alfredo Cardona Peña, quien me dio su ejemplar, una primera traducción al español de 1969 realizada por el artista nipoargentino Kazuya Sakai, a cambio de mi ejemplar de la antología de cuentos japoneses hecha por mi maestra Átsuko Tanabe, en la UNAM, y publicada por esa misma universidad. En una de mis visitas a su casa de la calle Cocoteros, en el norte de la ciudad, hablamos de literatura e historia, con intercambio de libros al final, y fue así como obtuve mi primer ejemplar de Ueda Akinari.

En 1953 hubo una adaptación al cine de parte del director Kenji Mizoguchi, *Ugetsu monogatari*, que fue premiada en Europa con el León de Venecia. Esta película fue vista por Carlos Fuentes cuando escribía *Aura*, su novela corta de fantasmas largos, con lo que los espectros japoneses se mezclaron con los mexicanos en su cabeza, según reconociera después. He leído y admiro a otros escritores japoneses: Akutagawa, Mishima, Kawabata, pero mi preferido sigue siendo Ueda, el protegido del dios zorro, Inari. Los japoneses de hoy han sustituido al dios zorro por una vacuna.

Su tumba está en Osaka, una de las ciudades incluida en mi ruta. Había estado lloviendo por un ciclón que, aunque lejano, influía en la zona. Con ese clima la tarde libre invitaba a seguir en el hotel, pero la aventura literaria pudo más y, tras pasar las difíciles pruebas de tomar metro y taxi en una ciudad grande y desconocida de lengua inaccesible, arribamos mi compañero y yo al pequeño templo shintobudista indicado, como una capilla de barrio de las nuestras. Muy cerca de ahí estaba, según mis indicaciones, el cementerio, pero no lo veíamos. Seguía lloviendo, muy poco, cada vez menos. Había algo de bruma y olor de incienso y llovizna. Preguntar no era fácil pues el inglés no era lengua conocida en ese barrio popular. El señor del templo sólo entendió de todo lo que dije «Ueda Akinari» y supo de qué se trataba, y nos condujo al lugar de las tumbas, cerca del templo pero separado por una calle sin gente. Había luego que introducirse en un callejón, en medio del cual, entre una fábrica y un edificio de apartamentos, en el interior de la cuadra, estaba el mínimo cementerio, y en una esquina el túmulo del ahijado del dios zorro, mi querido Akinari. Sonó un cuervo a manera de saludo en aquella humedad pétrea, silenciosa, y me sentí como dentro de uno de sus cuentos aunque con Japón contemporáneo.

Apelando al viejo criptojudío que algunos Chaves llevamos dentro, recojo una piedra del lugar y la pongo junto a la más grande de Ueda. Tomo otra muy pequeña y la guardo para mí. De nuevo chillan los cuervos con ritmo siniestro. Un avión surca el espacio nuboso. Después siguen el silencio de mi oración y el susurro de mi agradecimiento viajero. Abandonamos el lugar tras despedirnos del hombre del templo. Caminamos por la calle húmeda y fría en busca de un taxi. Observo el cielo posmoderno y miro la incipiente luna después de un atardecer de lluvia. Grazna un cuervo.

Mishima, homosexualidad y esteticismo*

A Átsuko Tanabe, in memoriam

Es muy probable que Yukio Mishima haya sido el escritor japonés más conocido en Occidente durante la segunda mitad del siglo XX, tanto en vida como muerto (se suicidó en 1970 a los 45 años), ya que su deceso escandaloso con rito suicida samurái por destripamiento y decapitación, ambos con espada, lo tornaron figura mundial más allá de la literatura, pasto del periodismo y la televisión (después vendrían el cine y el documental). Su ruidosa muerte fue la culminación de un proceso de vida en que el escritor tímido y flacucho se transformó en otro, física e intelectualmente poderoso, imagen que él mismo, narcisista compulsivo, se encargó de promover en diversos medios. Esto, claro, estuvo unido a su propio talento y su alta productividad, tanto en formas literarias cultas como populares, así como en otros medios de expresión artística (teatro, cine, fotografía).

* Este texto fue publicado originalmente en *Acta Poética*, n.° 34, vol. 2, febrero, 2014.

La fama lo había acompañado desde sus inicios literarios con *Confesiones de una máscara* (1949),[1] aunque no necesariamente por las mejores razones, pues la novela narraba en primera persona el despertar y desarrollo de la homosexualidad sadomasoquista de un personaje masculino (supuesto reflejo del autor), quien descubre sus gustos sexuales lo mismo ante un joven limpiador de letrinas, con su carga de excrementos, con sus axilas sudorosas (que se volverán su fetiche personal), que ante la reproducción fotográfica del San Sebastián renacentista de Guido Reni, icono cristiano que lo obsesionará tanto que posteriormente Mishima se hará fotografiar en parecida composición. Habría que recordar que dicho santo ha sido incorporado a la cultura gay como «patrono» en quien se honra la viril belleza adolorida.

Ya desde esa novela Mishima establece el tópico literario de la muerte del bello varón, que él remite explícitamente a dos autores emblemáticos del fin de siglo XIX europeo: el irlandés Oscar Wilde y el francés Joris-Karl Huysmans, verdaderos popes del decadentismo esteticista. En una versión mucho más macabra, Mishima confiesa su debilidad por «la muerte, la noche y la sangre»:[2] «la escasez de sangre, inherente en mí, me había arraigado el deseo de soñar con derramamientos de sangre».[3] Kochan, su personaje, llega a confundir la naturaleza de sus deseos sexuales con un sistema estético, según su propia expresión, por lo que muy pronto homosexualidad y

1 Cfr. Yukio Mishima: *Confesiones de una máscara*, Planeta, Barcelona, 1987.

2 Ibídem, p. 23.

3 Ibídem, p. 82.

estética quedan imbricadas en un culto sangriento de la belleza masculina.

La belleza negativa

Si bien en *Confesiones de una máscara* Mishima abordó de frente y en forma directa el asunto de la homosexualidad masculina en versión masoquista, no puede decirse que sea su único tópico ni que sea en este texto un rasgo exclusivo del protagonista, que se relaciona también con mujeres, con lo que otro motivo se establece: el de amar a la mujer sin desearla sexualmente, la disociación de amor y deseo. Así ocurrirá en su siguiente novela que aborda de manera profusa la homosexualidad, titulada *El color prohibido* (1951, apenas dos años después),[4] con la que se supera el intimismo de la narración en primera persona de *Confesiones* y se pasa a la colectividad de la tercera. Si bien en esta segunda novela hay interiorización en personajes complejos, hay también un cuadro de época sobre el mundo gay japonés de posguerra. Sus personajes homosexuales pueden acostarse con mujeres, a veces lo hacen, pero siguen fieles al amor viril, que conforma su perspectiva interior. Lo suyo no es impotencia física, tampoco se trata de bisexuales que desean a los dos sexos por igual, sólo desean a uno, al masculino, aunque a veces amen al femenino, según afirman, si bien con una visión misógina.

El culto a la belleza está presente en Mishima, a veces en un nivel alto de abstracción, cuando se refiere a la belleza en el arte, la literatura o la naturaleza, pero otras veces se concreta magníficamente en un cuerpo masculino palpable. En su

[4] Cfr. Yukio Mishima: *El color prohibido*, Alianza, Madrid, 2009.

valoración de este, Mishima retoma a famosos sexólogos del XIX y principios del XX como Hirschfeld y Havelock Ellis, a quien incluso cita: «Según este autor, sólo los homosexuales son sensibles a la belleza del cuerpo masculino, y hubo que esperar la aparición de un homosexual como Winckelmann –pionero del helenismo moderno– para que se estableciera un sistema de la estética masculina en la escultura griega.»[5] Los heterosexuales, ya sean hombres o mujeres, casi siempre son insensibles a los misterios más hondos de la belleza viril (hay sus excepciones, como el Shonsuké de *El color prohibido*), como si sólo en relación con el propio sexo se fuera capaz de percibir los niveles más íntimos de la belleza. En *Confesiones*, el personaje creado por Mishima se excitaba sexualmente ante «la estatua de un joven desnudo, plasmada según los criterios clásicos griegos».[6] San Sebastián será la versión cristiana de esta contemplación. El gusto por el arte griego en Mishima se mantiene, aunque levemente modificado, pues en *El color prohibido* se describe la primera aparición del hermoso personaje Yuichi, saliendo del mar, así: «Era un joven de sorprendente belleza. La seducción que se desprendía de su cuerpo era suave, casi dubitativa, y evocaba no tanto una estatua griega de la época clásica como un Apolo esculpido en bronce por un artista de la escuela del Peloponeso.»[7]

En cierto momento el narrador afirma que «de las delicadas líneas de aquel cuerpo irradiaba una fragancia que evocaba la

[5] Ibídem, p. 120.
[6] Ibídem, p. 99.
[7] Ibídem, p. 126.

"dulzura prerrenacentista" a la que se refirió Walter Pater»,[8] el famoso esteta del XIX. Hay, pues, en estas novelas de Mishima un vínculo constante entre belleza, homosexualidad y pensamiento esteticista del siglo romántico (Pater, Wilde, Huysmans, lo mismo que Flaubert, Villiers de L'Isle-Adam, Byron, Keats, Rodenbach y Beardsley, mencionados explícitamente). El autor había abierto su primera novela, *Confesiones*, con un epígrafe de Dostoievski que alude a la belleza de Sodoma en forma de pregunta: «¿Hay belleza en Sodoma? Creedme, muchos son los hombres que encuentran su belleza en Sodoma. ¿Sabíais este secreto? Lo más horroroso es que la belleza no sólo es aterradora, sino también misteriosa. Dios y el Diablo luchan en ella, y su campo de batalla es el corazón del hombre.»[9]

Vemos que Mishima califica a la belleza de «aterradora» y «misteriosa». En *El color prohibido* hablará de la «belleza negativa», «la que es imprevista, inquieta, nefasta; la que es desdichada, inmoral, anormal»,[10] y que está vinculada con la decadencia, la desilusión y el hastío (me recuerda algo de la belleza medusea de los románticos de la que hablaba Mario Praz). En dicha novela es el tipo de belleza que caracteriza la obra literaria de uno de los dos principales personajes masculinos, Shunsuké, el escritor viejo, feo y heterosexual que manipulará al hermoso y homosexual Yuichi para vengarse de las mujeres. Shunsuké sabe francés, conoce la literatura europea del XIX, ha traducido a Huysmans y a Rodenbach al japonés. Fue romántico en su juventud y después quiso ya no serlo, pero

8 Ibídem, p. 37.

9 Yukio Mishima: *Confesiones de una máscara*, p. 9.

10 Yukio Mishima: *El color prohibido*, p. 17.

no ha podido romper del todo con «la eternidad romántica». Misántropo y misógino, Shunsuké pacta fáusticamente con Yuichi para que seduzca a hombres y mujeres por él designados, aunque sólo se acueste con aquellos. Por su parte, el joven Yuichi llega a descubrir su propia belleza gracias a la acción del escritor, igual que le pasó a Dorian Gray bajo el influjo de otro esteta, Lord Henry Wotton, sólo que, a diferencia del joven inglés, el japonés sí logrará sobrevivir a su impulsor.

De hecho, es posible pensar en la novela de Mishima como una reelaboración de tópicos de la novela de Wilde, con su mezcla de esteticismo y homosexualidad (algo velada, en la novela de Wilde, aunque activa, como lo muestran algunas de sus adaptaciones cinematográficas: la de Dallamano en 1970 y la de Parker en 2009), y abiertamente manifiesta en la de Mishima. Wilde en su novela afirma: «A Dorian Gray le había envenenado un libro. Había momentos en que consideraba simplemente el mal como un medio necesario para poder realizar su concepción de la belleza.»[11] A Shonsuké le pasó lo mismo que a Dorian Gray, se envenenó con el libro de Huysmans, pero como era feo, tuvo que usar al bello Yuichi para sus propósitos. Llama la atención que Wilde nunca diga directamente que el libro que envenena el alma de Dorian es el de Huysmans, pero para el buen conocedor las señales son claras. De hecho, el capítulo once de la novela muestra la agenda ética y estética, no sólo de Dorian Gray, sino también de Floressas des Esseintes, aunque en versión menos misántropa, pues Dorian, a diferencia del célebre personaje de Huysmans, no se aleja del mundo. Mishima extiende los

[11] Oscar Wilde: *El retrato de Dorian Gray*, Libresa, Quito, 2007, p. 271.

atributos negativos de la belleza a la propia homosexualidad que, aunque aceptada por él, es vista con suspicacia, a veces asimilada a la enfermedad y a la fealdad, aunque también, en paradójico giro, a la suprema pureza por medio de la muerte de los amantes.

En *El color prohibido* Mishima compara la homosexualidad con «una enfermedad incurable de raíz estética»[12] que vuelve monstruoso e inevitable el apetito carnal. Esto sucede en tiempos de modernidad porque quizá antes, en una edad de oro perdida, el amor viril fue camino de salvación, cruce misterioso de religión, milagro y sexo entre adulto y adolescente, en los tiempos míticos del *nanshoku* o amor viril de los monjes medievales, como se aprecia por ejemplo en la obra de Saikaku, al que el propio Mishima se refiere (pensaba que desde la obra de Saikaku no se había escrito tan bien sobre la homosexualidad en su país hasta que apareció su propia novela, *Confesiones*). En este sentido, en su obra están presentes otras referencias, como la de Kukai, esto es, Kobo Daishi (774-835), fundador del budismo tántrico en Japón, el Shingon, traído desde China, y a quien en la leyenda se achaca la introducción de la homosexualidad en Japón, venida también de China, y que quedó asociada así con el budismo. Al respecto, apunta Paul Gordon Schalow:

> Ya para el siglo XVII Kukai se había establecido con firmeza en la iconografía literaria como patrono virtual del amor homosexual; en algunos contextos literarios la sola mención de su nombre o del Monte Koya, lugar donde Kukai fundó el conjunto

12 Yukio Mishima: *El color prohibido*, p. 22.

de los grandes templos del Budismo Shingon, denotaba homosexualidad.[13]

La homosexualidad en el contexto japonés

A diferencia de los escritores europeos del siglo XIX, pioneros en el tema de las pasiones homosexuales sobre un trasfondo cultural de vicio, pecado y contranatura, dados los antecedentes judeocristianos, Mishima escribe en una tradición literaria en la que la homosexualidad (o sus equivalentes culturales), antes del arribo de la modernidad occidental, no había sido concebida dramáticamente como pecado, sino más bien como una falta relativamente menor, digna a veces más del chiste o de la risa que de castigo y muerte, o bien como paradójico camino de iluminación. Dichas faltas sexuales podían condenarse como transgresiones menores o apegos mundanos, pero su gravedad era menor que las relaciones con mujeres, cuando menos en el ámbito monástico. Los primeros misioneros cristianos en Japón se refirieron al asunto y se escandalizaron, no sólo por la gran difusión de la práctica, sino por la tolerancia social al respecto. El *nanshoku* o amor viril se desarrolló en un ámbito budista, estaba idealmente estructurado sobre la edad (criterio, sin embargo, no siempre existente ni en Saikaku ni en Mishima), un adulto y un adolescente, y se daba sobre una base misógina. En su carácter pedagógico y temporal (pues la llegada del adolescente a la adultez marcaba el fin de la relación sexual), se parece mucho, *mutatis mutandis*, a la *paideia* griega. Quizá en el

[13] Paul Gordon Schalow: «Introducción», en Ihara Saikaku, *El gran espejo del amor entre hombres*, Interzona, Buenos Aires, 2003, p. 16.

contexto monástico tal estilo pederasta de edades diferenciadas fuera dominante, aunque entre más secular el medio, menos fuerte era tal modelo, que podía adquirir formas más igualitarias en edad entre los amantes, sobre todo cuando se privilegia el vínculo entre homosexualidad y amistad. Así se pregunta Mishima en *El color prohibido,* novela en la que el criterio de diferencia de edad entre los amantes aparece pero no prevalece:

> ¿No será que el simple sentimiento de pura amistad que reaparece tras el acto (sexual) es la esencia de la homosexualidad? ¿No está el deseo destinado a producir ese estado de soledad en el que, una vez ha sido satisfecho, cada uno vuelve a ser un simple individuo del mismo sexo que el otro? Los miembros de esta tribu quieren convencerse de que se aman porque son hombres, pero la realidad es más cruel: ¿no será que al amarse reconocen al fin que son hombres?[14]

El antiguo amor viril japonés encontró fundamentos míticos, según nos señala Bernard Faure, en tres tradiciones:

> Una tradición traza los orígenes de la homosexualidad tan atrás como los tiempos mitológicos japoneses, con la leyenda de los dos amigos Otake no mikoto y Amano no mikoto. Otra tradición mitológica retrocede hasta la mitología china. Una tercera es puramente budista. Un compromiso entre elementos chinos y budistas puede encontrarse en la leyenda del rey Mu, quien recibió del Buda una *stanza* mágica, que más tarde él

14 Yukio Mishima: *El color prohibido*, p. 401.

transmitió a su joven amante para protegerlo de daños cuando fuera enviado al exilio.[15]

En la historia japonesa la homosexualidad aparece asociada tanto a los monjes budistas y a los samuráis medievales como a los artistas de después del periodo Kamakura (1185-1333) o los mercaderes del periodo Edo (1603-1868). A diferencia de Occidente, donde las referencias culturales de la homosexualidad son hacia el pecado y el vicio, la herejía o el diabolismo, cuando el cristianismo desplazó al paganismo, en Japón hay instancias culturales de prestigio asociadas con ella: la religión –en especial el budismo–, la milicia, el arte y, en menor medida, el comercio (culpable de la caída del amor viril en la prostitución), aunque esta memoria homosexual se haya a veces atenuado con la modernidad cristiana y secular. Sin duda, como piensa Faure, hay una cierta continuidad entre el *nanshoku* premoderno y la homosexualidad japonesa moderna, que explicaría una imagen relativamente más positiva de esta pese a un cierto conservadurismo social.

El discurso tradicional *nanshoku* proviene de dos periodos diferentes: el tardío medieval o Muromachi (1338-1573) y el premoderno Edo. Literariamente destacan los budistas *Cuentos de Chigo*, o *Chigo Monogatari*, donde se da una idealización de los muchachos, tanto como iniciados a la sexualidad por un adulto amoroso, como iniciadores del adulto en un misterio búdico, como avatares de lo divino. Pareciera que la homosexualidad budista en Japón oscila entre una

[15] Bernard Faure: *The Red Threat. Buddhist Approaches to Sexuality*, Princeton University Press, 1998, p. 237.

eufemización (efebización) de la explotación sexual, quizá sublimada autojustificación de los monjes para acceder al cuerpo adolescente, por una parte, y, por la otra, la glorificación de la relación pederasta en tanto forma elevada de educación y, a veces, de iluminación, medio hábil de una deidad budista que asume la forma juvenil deseada por el monje para literalmente seducirlo y llevarlo a la salvación. Dos conocidos *bodisatvas* (esto es, budas que se niegan a asumir su nirvana para beneficiar al resto de los seres sensibles) que adoptan tales métodos transexuales para cumplir sus cometidos iluminadores son Manjushri (Monju), figura de sabiduría con apariencia juvenil, y Kannon, diosa de compasión que, en sus previas versiones en la India y el Tíbet, había sido concebida de forma masculina como Avalokiteshvara y Chenrezig, pero que ya en China cambió de sexo para ser Kuan Yin.[16]

[16] Estos *bodisatvas* seductores actúan de manera muy distinta a la del Buda histórico ante la admiración de su seguidor Vakkali, un monje que se había convertido al Dharma fascinado por la bella apariencia de Buda y que lo seguía embobadamente. En principio, si el cuerpo de Sidarta tenía las treinta y dos marcas físicas de perfección, su belleza debió ser grande, lo que explicaría la actitud de Vakkali y otros (no obstante, algún artista devoto que se puso a dibujar un buda con tales marcas lo que obtuvo fue un monstruo: orejas largas cuyo lóbulo llega a la base del cuello, protuberancia en la coronilla con algo de cuerno de unicornio, lengua tan larga que puede tocar cada una de sus orejas, ruedas tatuadas en las plantas de los pies, etc.). A diferencia de los *bodisatvas* casquivanos, Buda intentó desanimar a su admirador en su obsesión por la apariencia física, por la belleza, cuando pronuncia la sentencia de que «quien ve el Dharma, me ve; quien me ve, ve el Dharma». Falló en su empeño y tuvo que pedirle que se alejara. Años después, Vakkali buscará reencontrase con Buda y, en el camino, enferma, y es tal el dolor de su afección, que se suicida algo aparatosamente cortándose el cuello. Tras su muerte, Buda verá su cuerpo y dirá que obtuvo el nirvana, lo que llevó a algunos a pensar que el

Mishima conoce bien toda esta literatura tradicional y premoderna de *nanshoku* de su natal Japón, pues en diversas ocasiones se refiere a ella por medio de sus personajes, sobre todo en *El color prohibido*, aunque, como moderno y secular que es, no cree mucho en los elementos espirituales asociados que estarían en la base mítica de la homosexualidad monástica, tal como se desprende de la ironía usada por su personaje Shonsuké cuando se refiere al *chigo* como «camino de salvación». De hecho, aunque Mishima aborde asuntos religiosos, cuando lo hace le interesa en tanto fenómeno cultural, histórico o narrativo. Por ejemplo, se vale de la hipótesis budista de la reencarnación en su tetralogía *El mar de la fertilidad*, pero no como un asunto espiritual, sino como estrategia narrativa que le permite desarrollar cierto esquema dramático de un mismo amor con cuatro combinaciones: un miembro envejece a lo largo de las cuatro novelas y el otro muere y renace, muere y renace: es el mismo/la misma y es otro y otra.[17]

La visión larga que tiene Mishima de la homosexualidad en Japón se combina con su conocimiento de la homosexualidad en Europa desde sus antecedentes griegos, por lo que en *El color prohibido* no faltan las menciones a los textos platónicos (*Fedro* y *El banquete*), que se proyectan en el Renacimiento y en el esteticismo romántico del XIX, tan caros al autor japonés.

---

suicidio no era incompatible con la iluminación, en casos extremos como una enfermedad mortal y dolorosa, como fue el caso de Vakkali, enamorado, como Mishima, de la belleza masculina.

17 Cfr. Yukio Mishima: *El mar de la fertilidad. Tetralogía*, Noguer y Caralt, Barcelona, 2000.

La belleza vacía

En una siguiente novela de mediados de los cincuenta titulada *El pabellón de oro* (1956)[18] Mishima retoma el asunto de la belleza en un nuevo contexto. Vuelve a la narración en primera persona de *Confesiones* pero deja de lado el asunto de la homosexualidad y se concentra en la belleza de un cuerpo no humano, en este caso, un antiguo pabellón budista que captura la imaginación enfermiza del monje narrador, quien pretende alcanzar con sus ojos «la esencia misma de lo Bello», puesto que «no creía en otra belleza que la perceptible por el ojo humano».[19]

El narrador confiesa que «cuando se concentra el espíritu sobre la Belleza, uno cae sin darse cuenta sobre lo más negro que hay en el mundo en materia de ideas tenebrosas».[20] Paulatinamente se establece una especie de duelo entre el monje tartamudo y, más que feo, anónimo, invisible de tan corriente, y el hermoso y antiguo pabellón en cuya construcción la sangre y la guerra no han sido extrañas: «Nada más natural que guerras y alarmas, montones de cadáveres y ríos de sangre fuesen para la belleza del Templo de Oro una nueva fuente de riqueza. Su propia arquitectura, ¿no era hija del pánico? ¿No había sido concebido y edificado por una muchedumbre de posesos de alma sombría.»[21]

La mayoría de las acciones narrativas transcurren en este ambiente monacal budista en el que los supuestos rigores de

[18] Cfr. Yukio Mishima: *El pabellón de oro*, Seix Barral, Barcelona, 1985.
[19] Ibídem, p. 27.
[20] Ibídem, p. 48.
[21] Ibídem, p. 37.

tal tipo de vida zen están más bien ausentes, pues los monjes, desde el Prior más elevado hasta los más jóvenes, se dan sus escapadas para acostarse con jóvenes ingenuas o prostitutas, o beben sake en sus recintos privados, o prestan dinero con intereses. Se confirma la mirada secular de Mishima cuando aborda temas o ambientes religiosos. Progresivamente el hermoso pabellón va adquiriendo una existencia semieterna, se convierte en un símbolo de la desaparición del mundo fenoménico, en una maligna influencia que afecta al monje, al grado de que la única manera que encuentra para escapar de su hechizo es incendiándolo.

En esta novela el artista debe destruir la obra de arte para no ser destruido por ella, como un exitoso Dorian Gray que sobreviviera a la destrucción de su retrato para recuperar su vida propia, su alma empeñada. Es lo opuesto de lo que acontecía en *El color prohibido*, en que el hermoso Yuichi, marioneta estética del escritor feo, al final se rebela contra su creador, el escritor Shonsuké, empujándolo al suicidio. Aquí la belleza destruye al artista viejo mientras que en *El pabellón de oro* el artista destruye el objeto bello para sobrevivir. De esta manera la pretensión esteticista de otorgar a la belleza el lugar máximo y decisivo es superada. No en balde no queda en esta novela, que se concentra más bien en la cultura japonesa, ninguna referencia a la belleza decadente del siglo XIX.

Para disolver la fuerza todopoderosa que la belleza ejerce sobre el artista, Mishima retoma del budismo zen su enseñanza del vacío como consustancial a la forma, y la forma como consustancial al vacío. Descubre que «el poder de la auténtica visión reside, en suma, en la conciencia de que nuestro corazón no tiene forma ni apariencia. Pero para estar en condiciones de alcanzar esta ausencia de apariencias, ¿no se precisa dirigir a la fascinación de las formas una mirada particularmente aguda?».[22] Es lo que precisamente hace el monje al destruir el templo, al comprender que este no «era sino estructuras minuciosamente elaboradas, edificadas sobre el no-ser», que «estaba saturado de noche», y que «su sustancia estaba hecha de pesadas, suntuosas tinieblas»,[23] en una suerte de oscura iluminación.

De tal forma en esta novela Mishima rompe el contrato esteticista decimonónico que tanto admirara y que otorgaba a la belleza un poder de ídolo para reducirla a cenizas por el poder del fuego crítico. Quizá sin proponérselo, indirectamente, aquí Mishima funciona como un buda fallido, pues si bien su personaje logra cierta sabiduría del vacío (*prajna*), no alcanza a desarrollar la otra ala necesaria para volar como *bodisatva*, la compasión (*karuna*): en palabras de su personaje «carecía del sentido de la expansión y de la solidaridad con todo lo vivo»,[24] lo que lo arrojaba a una soledad que lo perseguía a todas partes sin cesar, por lo que «ni siquiera se sentía solidario con la nada».[25] Su personaje no sólo obtiene esta paradójica sabiduría oscura sino que, además, cree que, como el sufrimiento es inextirpable en la vida, lo mejor es multiplicarlo en los demás para no sentir tanto el propio, con lo que adquiere rasgos sádicos, quizá de un demonio de alguno de los infiernos budistas.

[22] Ibídem, p. 124.
[23] Ibídem, p. 145.
[24] Ibídem, p. 125.
[25] Ídem.

Bibliografía

AMADOU, Robert: *El ocultismo. Esquema de un mundo viviente*, Compañía General de Ediciones, México, 1954.

ANDREA, Juan Valentín: *Las bodas químicas de Christian Rosenkreutz*, Biblioteca Esotérica, México, 1988.

ANÓNIMO: *Cuentos del vampiro*, Paidós, México, 1999 [traducción de Louis Renou del sánscrito al francés y de este al español por Alberto Luis Bixio].

BALZAC, Honoré de: *Serafita*, Abraxas, Barcelona, 2002.

_______: *La muchacha de los ojos dorados*, Alba, Barcelona, 2013.

BAKER, Phil: *Austin Osman Spare. The Life and Legend of London's Lost Artist*, Strange Attractor Press, London, 2012.

BLAVATSKY, H. P.: *Isis sin velo*, Colofón, México, 1997.

_______: *Narraciones ocultistas y cuentos macabros*, LD Books, México, 2006.

_______: *Por las rutas y selvas del Indostán*, Librería Argentina, Madrid, 2012.

BOORD, Martin: *The Cult of the Deity Vajrakīla: According to the Texts of the Northern Treasures Tradition of Tibet*

(Byang Gter Phur Ba), Institute of Buddhist Studies, Berkeley, 1993.

Borges, Jorge Luis: «Los traductores de las *1001 noches*», *Obras completas*, t. 1, Emecé, Buenos Aires, 1974, pp. 397-413.

_______: «Tlön, Uqbar, Orbis Tertius», *Obras completas*, t. 1, Emecé Editores, Buenos Aires, 1974, p. 431-443.

_______: «La flor de Coleridge», *Obras completas*, t. 1, Emecé Editores, Buenos Aires, 1974, pp. 639-641.

_______: *El libro de los seres imaginarios*, Destino, Barcelona, 2007.

Borges, Jorge Luis; Adolfo Bioy Casares y Silvina Ocampo: *Antología de la literatura fantástica*, Sudamericana, Buenos Aires, 1977.

Braude, Ann: *Radical Spirits: Spiritualism and Women's Rights in Nineteenth-Century America*, Beacon Press, Boston, 1989.

Bulwer-Lytton, Edward: *Zanoni*, EISA, México, 1980.

_______: *Los últimos días de Pompeya*, Biblioteca Luna, Madrid, 2018.

Burton, Isabel: «Prólogo», en Richard F. Burton, *El rey Vikram y el Vampiro. Cuentos clásicos hindúes de aventuras, magia y amor*, José J. de Olañeta Editor, Barcelona, 1997.

Burton, Richard F.: *Vikram and the Vampire*, Kama Shastra Society of London-Benares, London, 1870.

_______: *El rey Vikram y el Vampiro. Cuentos clásicos hindúes de aventuras, magia y amor*, José J. de Olañeta Editor, Barcelona, 1997.

Carandell, José María: «Presentación», en Ueda Akinari, *La luna de las lluvias (Ugetsu Monogatari)*, José J. de Olañeta Editor, Barcelona, 2009.

Corbin, Henry: *Swedenborg and Esoteric Islam*, Swedenborg Foundation, Pennsylvania, 1995.

_______: «*Mundus imaginalis*, lo imaginario y lo imaginal I y II», <https://www.webislam.com/articulos/18141mundus_imaginalis_lo_imaginario_y_lo_imaginal_i.html> [16/08/2017].

Costa, Uriel da: *Espejo de una vida humana (Exemplar Humanae Vitae)*, Hiperión, Madrid, 1985.

Couliano, Ioan P.: *Éros et magie à la Renaissance. 1484*, Flammarion, Paris, 1984.

Courtine, Jean-Jacques: «El crepúsculo de los monstruos», *sYc*, n.° 7, septiembre, 1996, pp. 7-42.

Crowley, Aleister: *De arte mágica*, Humanitas, Barcelona, 1991.

_______: *Diary of a Drug Fiend*, Red Wheel / Weiser, Massachusetts, 2010.

_______: *La hija de la luna. Intrigas mágicas del bien y del mal*, Humanitas, Barcelona, 2012.

Chaves, José Ricardo: *Andróginos. Eros y ocultismo en la literatura romántica*, UNAM, México, 2005.

_______: *Peregrino a Oriente. Bitácora de viajes por Asia... y un poquito de París*, Ediciones de Educación y Cultura, México, 2012.

_______: *México heterodoxo. Diversidad religiosa en las letras del siglo* xix *y comienzos del* xx, UNAM / Iberoamericana / Bonilla Artigas, México, 2013.

Davenport-Hines, Richard: *Gothic. Four Hundred Years of Excess, Horror, Evil and Ruin*, North Point Press / Farrar, Straus and Giroux, New York, 1998.

David-Néel, Alexandra: *Magos y místicos del Tíbet*, Índigo, Barcelona, 1988.

DELCOURT, Marie: *Hermafrodita*, Seix Barral, Barcelona, 1969.

DIEGO, Estrella de: *El andrógino sexuado. Eternos ideales, nuevas estrategias de género*, Visor, Madrid, 1992.

DIXON, Joy: *Divine Feminine. Theosophy and Feminism in England*, Johns Hopkins University Press, Baltimore, 2001.

DIJKSTRA, Bram: *Idols of Perversity. Fantasies of Feminine Evil in Fin-de-Siècle Culture*, Oxford University Press, New York, 1986.

DOWMAN, Keith (ed.): *Masters of Mahamudra*, State University of New York Press, 1985.

DURAND, Gilbert: *Ciencia del hombre y tradición. El nuevo espíritu antropológico*, Paidós, Barcelona, 1999.

EUGENIDES, Jeffrey: *Middlesex*, Anagrama, Barcelona, 2006.

EWERS, Hanns Heinz: *Fundvogel. Die Geschichte einer Wandlung*, Sieben Stäbe, Berlin, 1928.

_______: *Dans l'Épouvante*, Éditions J'ai Lu, Paris, 1970.

_______: *La Suprême Trahison*, Ancrage, Amiens, 1993.

_______: *La mandrágora*, Valdemar, Madrid, 1993.

_______: «La araña», en Natalia Roa Vial (comp.), *Relatos escalofriantes*, Andrés Bello, Santiago de Chile, 1995.

_______: *Strange Tales*, Runa Raven Press, Texas, 2000.

_______: «Anthropoovaruspartus», *Tannhäuser crucifié*, Éditions Sillage, Paris, 2006, pp. 97-108.

_______: *Hanns Heinz Ewers. Volume I*, Joe Bandel's Book Store, 2009.

_______: *Vampiro*, Valdemar, Madrid, 2018.

FAIVRE, Antoine: *Access to Western Esotericism*, State University of New York Press, 1994.

FAURE, Bernard: *The Red Threat. Buddhist Approaches to Sexuality*, Princeton University Press, 1998.

FIEDLER, Leslie: «*Freaks* e imaginación literaria», *Revista Biblioteca de México*, n.° 28, julio-agosto, 1995, pp. 24-30.

FLOWERS, Stephen E.: «Introduction», en Hanns Heinz Ewers, *Strange Tales*, Runa Raven Press, Texas, 2000.

FOUCAULT, Michel (prés.): *Herculine Barbin dite Alexina B.*, Gallimard, Paris, 1978.

_______: *Historia de la sexualidad 1. La voluntad del saber*, Siglo XXI Editores, Buenos Aires, 2016.

FREUD, Sigmund: *Lo siniestro. El hombre de la arena*, José J. De Olañeta Editor, Barcelona, 1979.

GARCÍA SALEH, Fabio: *El tesoro oculto del Conde Montecristo. Masonería y ocultismo en la obra de Alejandro Dumas*, Arcopress, Córdoba, 2014.

GAUTIER, Théophile: *La muerte enamorada*, Rey Lear, Madrid, 2011.

_______: *Mademoiselle de Maupin*, Random House, México, 2010.

GOETHE, Johann Wolfgang von: *Fausto*, Cátedra, Madrid, 2005.

GOETHE, Johann Wolfgang von y August Gottfried Bürger: *Los muertos cabalgan deprisa: «Lenora» y «La novia de Corinto»*, Oficina de Arte y Ediciones, Madrid, 2015.

GODWIN, William: *St. Leon*, Oxford Paperbacks, 1994.

GONZÁLEZ RODRÍGUEZ, Sergio: «La belleza monstruosa», *Revista Biblioteca de México*, n.° 28, julio-agosto, 1995, pp. 17-19.

GROTANELLI, Cristiano: «Mircea Eliade, Carlt Schmitt, René Guénon, 1942», *Revue de l'Histoire des Religions*, n.° 219-3, vol. 219, 2002, pp. 325-356.

HALE, Terry: «French and German Gothic: the Beginnings», en Jerrold E. Hogle (ed.), *The Cambridge Companion to*

Gothic Fiction, Cambridge University Press, 2002, pp. 63-84.

Hanegraaff, Wouter J.: «Romanticism and the Esoteric Connection», en R. van den Broek y W. J. Hanegraaff (eds.), *Gnosis and Hermeticism from Antiquity to Modern Times*, State University of New York Press, 1998, pp. 237-268.

Hartmann, Franz: *Una aventura en la mansión de los adeptos rosacruces*, Kier, Buenos Aires, 1983.

Heilbrun, Carolyn G.: *Toward a Recognition of Androgyny*, W. W. Northon & Company, New York, 1993.

Hesse, Hermann: *Demian*, Prisma, México, 1998.

Hoffmann, E. T. A.: *El magnetizador*, Bambú, Barcelona, 2011.

Hogle, Jerrold E. (ed.): *The Cambridge Companion to Gothic Fiction*, Cambridge University Press, 2002.

Hollings, Captain W. (ed.): *The Baital Pachisi. Twenty Five Ghost Stories*, Pilgrims Folk Tales, Varanasi, 2003.

Kanters, Robert y Robert Amadou (eds.): *Antología del ocultismo*, EDAF, Madrid, 1976.

King, Francis: *Sexo, magia y perversión*, Felmar, Madrid, 1977.

Kristeva, Julia: *Historias de amor*, Siglo XXI, México, 1987.

_______: *Poderes de la perversión*, Siglo XXI, México, 1997.

Krumm-Heller, Arnold: *Rosa-Cruz. Novela de ocultismo iniciático*, Kier, Buenos Aires, 1991.

Kugel, Wilfried: «Préface», en Hanns Heinz Ewers, *La Suprême Trahison*, Ancrage, Amiens, 1993.

Leiter, Ferdinand und Hans H. Thal (hrsg.): *Liebe im Orient. Das Kamasutram des Vatsyayana*, Schneider & Co., Leipzig, 1929.

Lévi, Éliphas: *Le sorcier de Meudon*, Tradition Classics, Hambourg, 2012.

LEWIS, Matthew G.: *El monje*, LD Books, México, 2005.

LLOPIS, Rafael: *Historia natural de los cuentos de miedo*, Júcar, Madrid, 1974.

LOVECRAFT, H. P.: *El horror en la literatura*, Alianza, Madrid, 1984.

LOVELACE, Ada: «Ghostly and Monstruous Manifestations of Women: Edo to Contemporary», *The Irish Journal of Gothic and Horror Studies*, n.° 5, december, 2008, pp. 30-45

MACDONALD, Alexander William: *Matériaux pour l'étude de la littérature populaire tibétaine I*, Société d'Ethnologie, Nanterre, 1990.

MAUPASSANT, Guy de: *El Horla*, Puerto Norte Sur, Madrid, 2008.

METTRA, Claude: «Los hijos de la noche», en René Alleau, Robert Amadou *et al.*, *Rumbos actuales del ocultismo*, Rodolfo Alonso, Buenos Aires, 1978, pp. 9-18.

MEYRINK, Gustav: *El ángel de la ventana de occidente*, Valdemar, Madrid, 2006.

_______: *El Golem*, Valdemar, Madrid, 2014.

MISHIMA, Yukio: *El pabellón de oro*, Seix Barral, Barcelona, 1985.

_______: *Confesiones de una máscara*, Planeta, Barcelona, 1987.

_______: *El mar de la fertilidad. Tetralogía*, Noguer y Caralt, Barcelona, 2000.

_______: *El color prohibido*, Alianza, Madrid, 2009.

MORGAN, Mogg: «Tales of Hindu Devilry: The Vikram Vetala», *Ashé! Journal of Experimental Spirituality*, n.° 4, vol. 2, 2005, pp. 297-307.

MULLIN, Glenn H. (ed.): *Tsongkhapa's Six Yogas of Naropa*, Snow Lion Publications, New York, 1996.

Murakami, Haruki: *Kafka en la orilla*, Tusquets, Barcelona, 2002.

Nebesky-Wojkowitz, René de: *Oracles and Demons of Tibet. The Cult and Iconography of the Tibetan Protective Deities*, Book Faith India, New Delhi, 1996.

Nervo, Amado: *El castillo de lo inconsciente. Antología de literatura fantástica*, selección, estudio preliminar y notas de José Ricardo Chaves, Consejo Nacional para la Cultura y las Artes, México, 2000.

Neubauer, John: *The Fin-de-Siècle Culture of Adolescence*, Yale University Press, 1993.

Ovidio: *Metamorfosis*, introducción, versión rítmica y notas de Rubén Bonifaz Nuño, Secretaría de Educación Pública, México, 1985.

Pavese, Cesare: *El oficio de vivir. El oficio de poeta*, Bruguera, Barcelona, 1981.

Pessoa, Fernando: *Poemas esotéricos*, Verdehalago, México, 2004.

Pollet, Jean-Jacques: «Les fatalités ordinaries de Leo Perutz», *La littérature fantastique. Colloque de Cerisy*, Éditions Albin Michel, Paris, 1991, pp. 157-169.

Randolph, Paschal Beverly: *Ravalette. The Rosicrucian's Story*, Philosophical Publishing Company, Pennsylvania, 1939.

Renou, Louis: «Prólogo», en Anónimo, *Cuentos del vampiro*, Paidós, México, 1999.

Rice, Anne: *Entrevista con el vampiro (Crónicas vampíricas I)*, Penguin Random House, Madrid, 2014.

Richter, Anne y Hugo Richter (eds.): *L'Allemagne fantastique de Goethe à Meyrink*, André Gérard / Marabout, Verviers, 1973.

RIFFARD, Pierre A.: *L'ésotérisme*, Éditions Robert Laffont, Paris, 1993.

ROBERTS, Marie: *Gothic Immortals. The Fiction of the Brotherhood of the Rosy Cross*, Routledge, New York, 1990.

ROBIN, Françoise: «Avant-propos», *Les Contes facétieux du cadavre*, Langues & Mondes-L'Asiathèque, Paris, 2005.

SAIKAKU, Ihara: *Historias de amor entre samuráis*, Fontamara, México, 1984.

______: *El gran espejo del amor entre hombres*, Interzona, Buenos Aires, 2003.

SAKAI, Kazuya: «Prólogo», en Ueda Akinari, *Cuentos de lluvia y de luna*, Era, México, 1969.

SARDUY, Severo: «Vampiros reflejados en un espejo convexo», *Vuelta*, n.° 104, 1984, p. 20.

SECRET, François: *La Kabbala cristiana del Renacimiento*, Taurus, Madrid, 1979.

SCHALOW, Paul Gordon: «The Legend of Kukai and the Tradition of Male Love in Japanese Buddhism», in José Ignacio Cabezón (ed.), *Buddhism, Sexuality, and Gender*, State University of New York Press, 1992, pp. 215-230.

______: «Spiritual Dimensions of Male Beauty in Japanese Buddhism», in Michael L. Stemmeler and José Ignacio Cabezón, *Religion, Homosexuality, and Literature*, Monument, Texas, 1992, pp. 75-94.

______: «Introducción», en Ihara Saikaku, *El gran espejo del amor entre hombres*, Interzona, Buenos Aires, 2003.

SHELLEY, Mary W.: *Frankenstein o El moderno Prometeo*, Montesinos, Barcelona, 1971.

______: *Mathilda*, traducción de Marie-Anne Lecouté y prólogo de Carmen Virgili, Montesinos, Barcelona, 1997.

SHELLEY, Percy B.: *Ensayos escogidos*, DVD Ediciones, Barcelona, 2001.
_______: *St. Irvyne or the Rosicrucian*, CreateSpace, 2012.
SHERIDAN LE FANU, Joseph: *Carmilla: la mujer vampiro*, Obelisco, Barcelona, 2005.
SHIKIBU, Murasaki: *Romance de Genji (Genji monogatari)*, José J. de Olañeta Editor, Barcelona, 2004.
_______: *La novela de Genji (Genji monogatari)*, Destino, Madrid, 2010.
SIVADASA: *The Five-And-Twenty Tales of the Genie (Vetalapancavinsati)*, Penguin Classics, New Delhi, 1995.
SOMADEVA: *Tales from the Kathasaritsagara*, Penguin Classics, New York, 1997.
STOKER, Bram: *Drácula*, Debolsillo, México, 2005.
TOURNIER, Michel: *Viernes o los limbos del Pacífico*, Monte Ávila, Caracas, 1971.
_______: *Los meteoros*, Alfaguara, Madrid, 1992.
_______: *Gilles y Juana*, Alfaguara, Madrid, 1992.
TRUCHAUD, F.: «H. H. Ewers visionnaire de l'épouvante», *Le Nouveau Planète*, Mars, Paris, 1971, pp. 53-61.
UEDA, Akinari: *Cuentos de lluvia y de luna*, Era, México, 1969.
_______: *La luna de las lluvias (Ugetsu Monogatari)*, presentación de José María Carandell y traducción de Manuel Serrat Crespo, José J. de Olañeta Editor, Barcelona, 2009.
_______: *Cuentos de lluvia de primavera*, Satori, Gijón, 2013.
VIRGILI, Carmen: «Prólogo», en Mary W. Shelley, *Mathilda*, Montesinos, Barcelona, 1997.
WASSERSTROM, Steven: *Religion after Religion. Gershom Scholem, Mircea Eliade and Henry Corbin at Eranos*, Princeton University Press, 1999.

WHITE, Ralph (ed.): *The Rosicrucian Enlightenment Revisited*, Lindisfarne Books, New York, 1999.

WHITE, David G.: *Sinister Yogis*, The University of Chicago Press, 2009.

WILDE, Oscar: *El retrato de Dorian Gray*, Libresa, Quito, 2007.

WOOLF, Virginia: *Un cuarto propio*, Colofón, México, 2015.

_______: *Orlando*, Alianza, Madrid, 2014.

YATES, Frances: *El Iluminismo Rosacruz*, Fondo de Cultura Económica, México, 1981.

_______: *Giordano Bruno y la tradición hermética*, Ariel, Barcelona, 1983.

YEATS, William Butler: *Ideas sobre el bien y el mal*, La Fontana Mayor, Madrid, 1975.

YOUNG, Blake Morgan: *Ueda Akinari*, University of British Columbia Press, 1982.

ZAMBRANO, María: *La confesión: género literario*, Mondadori, Madrid, 1988.

Índice

Lightning Source UK Ltd.
Milton Keynes UK
UKHW011035010620
364248UK00002B/393